Lessing zum Vergnügen

Lessing zum Vergnügen

»Je mehr ich vergesse, desto gelehrter werde ich«

Herausgegeben von
Gunter E. Grimm

Mit 10 Abbildungen

Philipp Reclam jun. Stuttgart

RECLAMS UNIVERSAL-BIBLIOTHEK Nr. 18384

Umschlaggestaltung: Stefan Schmid, Stuttgart
Gesamtherstellung: Reclam, Ditzingen. Printed in Germany 2005

ISBN-13: 978-3-15-018384-7
ISBN-10: 3-15-018384-7

www.reclam.de

Inhalt

Lessing
Schattenriss mit seinem Namenszug, 1780

Vorwort

> Was haben Sie denn gegen Lachen? Kann man denn auch nicht lachend sehr ernsthaft sein? Lieber Major, das Lachen erhält uns vernünftiger, als der Verdruß.
>
> *Minna von Barnhelm* IV,6

Es gibt vielerlei Arten von Vergnügen, die vom Schmunzeln bis zum lauten Lachen reichen. Die Reihe der vergnüglichen Autoren der neueren deutschen Literaturepoche beginnt im 16. Jahrhundert, mit so bedeutenden Schriftstellern wie Luther, Fischart und Hans Sachs. Im 17. Jahrhundert, das von einem spannungsreichen Antagonismus zwischen Todesbewusstsein und Lebensgenuss geprägt ist, nimmt das Vergnügen am irdischen Genuss zuweilen barock-üppige Dimensionen an und reicht von der Lust an Essen und Trinken bis zur unverhüllten Freude an frivolen erotischen Szenen. Das stillere bürgerliche Vergnügen, unter dessen Einfluss wir heute noch leben, beginnt eigentlich im 18. Jahrhundert. Die Aufklärung hat eine ganze Reihe sehr vergnüglicher Autoren hervorgebracht, von den Fabeldichtern, Satirikern und Epigrammatikern über die Komödienschreiber bis zu den großen Romanciers und dem großen Aphoristiker Georg Christoph Lichtenberg. Und es ist bezeichnend, dass sich diese Autoren gerade in solchen Gattungen getummelt haben, die über die Unterhaltung den Lesern stets auch ein Quäntchen Belehrung vermitteln wollten.

Von den literarisch Großen der deutschen Aufklärung ist Friedrich Gottlieb Klopstock der heute unvergnüglichste, obwohl er im Leben ein gar nicht so heiligmäßiger Typ gewesen sein soll, wie seine getragen-pathetische Poesie es uns nahelegt. Am ehesten erscheint uns Christoph Martin Wieland als der Klassiker des Vergnügens par excellence. Indes: Hatte Lessing schon bei Klopstock nüchtern festgestellt, alle Welt zwar lobe den erhabenen Dichter, aber niemand lese ihn, so gilt dies heute wohl auch für Wieland! Doch anders als bei Klopstock, dessen erhaben-feierlicher Ton heute zeitfern anmutet, ist es im Falle Wielands zum guten Teil die Wahl der Versnovelle, die ihn der heutigen Lesergemeinde fernrückt. Die Zukunft gehörte der Prosa und nicht dem Vers – eine Tatsache, die sich auf epische wie auf dramatische Werke bezieht. Prosa steht heute hoch im Kurs, in Form und Rede, in Ausdruck und Tonart. Wer könnte, unter den großen Autoren der Aufklärung, diese Erwartungshaltung besser bedienen als Lessing, von dem es heißt, er habe nie geträumt?

Was aber ist an Lessing eigentlich vergnüglich? Denkt man bei Vergnügen an jenes genüsslerische Schmunzeln, das ein geistreiches Bonmot erzeugt, eine wunderbar formulierte Wahrheit, ein ironisches Konterfei von Personen und Gesellschaft, Augenzwinkern und Humor – so wird man in Lessings Schriften kaum fündig. Was man dagegen reichlich findet, sind flapsigmuntere, nüchtern-lakonische, mitunter auch zynischprovozierende Sentenzen und Bemerkungen, die von einer distanzierten, einer unvoreingenommenen und sehr selbständigen Sichtweise zeugen. Lessing hat diese Denkform in allen möglichen Gattungen vorexerziert: in den frühen lyrischen Gedichten, den Jugenddramen, den literarischen Kritiken, den großen Dramen der Reifezeit, den theologischen und den antiquarischen Auseinandersetzungen und, *last but not least*, in seinen auf den ersten Blick eher dürren und wenig mitteilsamen Briefen, die sich aber bei näherem Hinsehen als wahre Fundgrube solcher lakonisch-nüchterner Einsichten erweisen. Fragt man nach dem Grundprinzip der Lessingschen Äußerungen, so ist es gewiss nicht das allseitige Verstehen, wie später etwa bei Johann Gottfried Herder und den romantischen Hermeneutikern, es ist eine Haltung, die aufklärerischen Streitimpetus mit traditioneller rhetorischer Manier aufs Nachdrücklichste verbindet. Lessing war ein Streithahn und ein Lehrer zugleich: Was er für falsch erkannte, das bekämpfte er mit aller ihm zur Verfügung stehenden Schärfe und Bosheit, und nicht immer mit lauteren Mitteln. Was er aber für gut und nachstrebenswert hielt – für das setzte er sich auch mit aller Kraft ein. Ambivalent ist deshalb Lessings Haltung: streitbar auf der einen Seite, didaktisch auf der anderen.

In dieser Wesensbestimmung unterscheidet sich Lessing nicht von anderen Zeitgenossen, nur dass er – im Unterschied zu Satirikern wie Liscow und Rabener, oder Pädagogen wie Basedow und August Hermann Francke – nicht ausschließlich einer Spielart sich verschrieb. Er bündelte beide Tendenzen, die negativ-kritische und die positiv-belehrende. Für ihn stand die Kritik, die Häme und die Streitlust im Dienst der guten Sache, für die es zu kämpfen galt, nämlich die Ausbreitung der praktischen Vernunft. Denn anders als etwa Christian Wolff oder Immanuel Kant, die in erster Linie eine Philosophie der theoretischen Vernunft begründeten, hielt Lessing von Systemen wenig und propagierte sein Ideal einer gelebten Vernunft. Die Qualität einer Lehre habe sich an ihren Früchten zu erweisen

– eine Botschaft, wie sie griffiger nirgends formuliert wurde als in der berühmten Ringerzählung des *Nathan*.

Diese Botschaft wird auch in den frühen Dramen, dem wirkungsvollsten Forum Lessings, allenthalben erkennbar. Von den frühen, der sächsischen Typenkomödie verpflichteten Lustspielen wie *Der junge Gelehrte*, *Der Misogyn*, *Die alte Jungfer*, *Die Juden*, *Der Freigeist* über die großen Dramen *Miss Sara Sampson*, *Emilia Galotti*, *Minna von Barnhelm* bis zum großen Lehrgedicht seiner Spätzeit *Nathan der Weise* reicht die Botschaft der praktischen Vernunft. Der Einzelne soll sich nicht nur um theoretische Erkenntnis bemühen, sondern sie ins praktische Handeln des Alltags auch umsetzen – eine Aufgabe, die erheblich schwieriger und entbehrungsreicher war als das bloße, aufs Abstrakte und Prinzipielle beschränkte Erkennen. Sie verlangt nämlich außer intellektueller Kraft auch soziale Intelligenz und Durchsetzungsvermögen und – für einen so streitbaren Geist wie Lessing ungewöhnlich – ein großes Maß an Selbstbescheidung: an Sanftmut nämlich, mit der das einzelne Gesellschaftsmitglied dem anderen begegnen soll. Die Forderung, die Lessing hier aufstellt, weicht von der eigenen Praxis nicht unwesentlich ab. Dem Streitprinzip, dem Lessing lebenslang folgte, wird hier das eher christlich-stoische Ideal der Duldsamkeit, also der Toleranz entgegengehalten.

Lessing war ein Mann mit Widersprüchen. Sein Denken und sein Schreiben ist nicht zuletzt auch deshalb noch heute bemerkenswert, weil die Eigenart, argumentativ einen Gedanken zu entwickeln, ihn hin und her zu wenden und daraus Folgerungen zu ziehen, bis zu einem Punkt, der die allgemeine Praxis ad absurdum führt und die Konsequenzen bis zur Schmerzgrenze vorantreibt, modernem Empfinden mit seiner Lust an Tabubrüchen und Provokationen entgegenkommt.

Die Anordnung, die für diesen Band gewählt wurde, unterscheidet sich von anderen Bänden, die nach ausschließlich inhaltlichen Kategorien vorgehen, also Aspekte des Vergnügens variationenreich ausbreiten. Bei Lessing könnte man durchaus auch an solche Bereiche denken, etwa eine Rubrik »Wein, Weib und Gesang«, »Vom Vergnügen des Streitens«, »Von der Erkenntnis des Ich« oder »Frauen und Männer«. Der Herausgeber meint aber, dass die hier gebotene Auswahl Lessings Werk nicht nur nach Themen abgrasen, sondern auch nach Genres und Gattungen in den Blick nehmen sollte. Eine ausschließlich thematische Anordnung täte insbesondere den poetischen Texten Unrecht. Zum einen werden ja in einem größeren poetischen Text verschiedene Themen abgehandelt, zum anderen würde ein thematisch strukturiertes Kapitel jeweils ein seltsames Sammelsurium an Textsorten ergeben. Eine Anordnung nach Textsorten dagegen verschafft dem Leser zum Vergnügen und zum Erkenntnisgewinn obendrein Einblick in die Werkstatt des Dichters, sie macht deutlich, in welchen Gattungen er sich getummelt und welcher gattungsspezifischer Techniken er sich bedient hat.

Ein weiterer Vorteil der Einteilung nach Textsorten besteht darin, dass der Leser innerhalb eines Kapitels mit einer Fülle buntgemengter, oft vergnüglicher, manchmal besinnlicher, immer aber anregender Themen konfrontiert wird. Die genrespezifische Anordnung vermittelt dem Leser, als Nebeneffekt, ein facettenreiches Bild des Schriftstellers und des Menschen

Lessing, des lebenslustigen Jungautors, des streitlustigen Disputanten und des nüchternen Beobachters.

Das erste Kapitel zeigt den Gedichteschreiber. Lessing hat vor allem in seiner Jugend leichte Lieder über die üblichen anakreontischen Themen Wein und Liebe verfertigt. Mit biographischer Abspiegelung eigener Erlebnisse hat dieses Genre nichts zu tun, es ist reine Modedichtung, aber Lessing hat darin eine Perfektion erreicht, die weit über ähnliche Gedichte der Zeitgenossen hinausragte. Lessings Gedichte zeichnen sich durch eine unverwechselbare Leichtigkeit und Pointensicherheit aus. Ebenso schlagkräftig und zielsicher sind seine Epigramme, von denen ebenfalls eine Auswahl geboten wird.

Das zweite Kapitel zeigt den Lehrdichter. Lessing hat eine Reihe didaktischer Gedichte geschrieben, nämlich philosophische Reflexionsgedichte. Diese wären für ein Bändchen, das dem vergnüglichen Lessing gewidmet sein soll, zu umfangreich. Deshalb stammen die Texte dieses Teils ausschließlich aus dem seit jeher populären Genre der Fabeldichtung. Lessing hat sowohl gereimte wie Prosa-Fabeln verfasst. Einige sind aus den heutigen Schullesebüchern nicht mehr wegzudenken. Sicher stellen sie einen extremen Pol innerhalb der Fabel-Tradition dar: Sie repräsentieren gewissermaßen den »abgespeckten« Typus. Alles breit Erzählende ist gestrichen; die Fabel ist reduziert auf eine knappe Handlung und eine entweder immanente Lehre oder ein in knappster Form angehängtes Fazit, eine Moral oder Handlungsanleitung für den Leser. In ihrer knappen und präzisen Diktion sind sie bis heute unübertroffene Muster geblieben.

Das dritte Kapitel zeigt den Dramenschreiber. Fünf

Szenen aus bedeutsamen Dramen Lessings sind hier ausgewählt, die ein breites Spektrum der für Lessing zentralen Themen bieten und zugleich die dramatische Technik des Dialogs vorführen, in der Lessing ein Meister war. Die Szene aus dem Jugenddrama *Die Juden* weist mit ihrem Plädoyer, nicht pauschal über ganze Völker zu urteilen, bereits auf die spätere Entfaltung des Themas im *Nathan* hin. Der Monolog Mellefonts aus dem Trauerspiel *Miss Sara Sampson* ist ein Beispiel für Lessings psychologische Charakterisierungskunst. Sie zeigt das Schwanken dieser mentalitätsgeschichtlich interessanten Figur zwischen den Normen des von den Innerlichkeitswerten Herz und Gefühl bestimmten Bürgers und des höfischen, auf die alten Klugheitslehren setzenden Karrieristen. Aus dem Lustspiel *Minna von Barnhelm* ist der für das gesamte Drama zentrale Dialog zwischen Minna und Tellheim abgedruckt. Der Kampf um die Werte des Herzens und der Ehre, der zwischen den beiden Protagonisten ausgefochten wird, erlebt in dieser Szene seine größte Zuspitzung. Lessing projiziert in diesen Normenkonflikt auch ein wenig von seiner Kritik am absolut gesetzten Ordnungsdenken, wie es für den preußischen Staat symptomatisch war. Zugleich zeigt die Szene auch Lessings Lust am sophistischen Wortgeplänkel, an der Dialektik des Streitens. Das Kunstgespräch aus *Emilia Galotti* zeigt, dass alle Kunst außer ihrer Verpflichtung auf ästhetische Normen immer auch sozialen Zwängen unterliegt, die ihren Marktwert bestimmen; es stellt ein Paradebeispiel für Lessings Reserviertheit gegenüber der wankelmütigen Welt der Höfe dar. Wenn hier nicht nur die Ringparabel aus dem großen dramatischen Gedicht *Nathan der Weise* abgedruckt ist, sondern die ganze Szene, so soll damit der dramaturgische Konnex aufgezeigt werden, nämlich wie geschickt Lessing sein unvergängliches Toleranzpostulat aus dem Zwang der Situation heraus entstehen lässt, sie gewissermaßen nicht als fertiges Produkt, sondern als *work in progress*, als dialektischen Vorgang vorstellt.

Das vierte Kapitel zeigt den Gelehrten und den Theoretiker, es bietet Gedankensplitter aus den verschiedensten Bereichen seines schriftstellerischen Wirkens: Lessing als Dramaturg, als Rezensent, als Theologe und als Antiquar. Die Quellen sind dementsprechend vielfältig: Abhandlungen, Streitschriften, Betrachtungen, Vorreden, Rezensionen, Aufzeichnungen und Notizen. Mit Absicht wurde hier nicht nach Themen geordnet, um jegliche Eintönigkeit zu vermeiden. Dennoch folgen die Texte einem roten Faden: Sie spannen sich vom Thema Künstler und Kunst über den Bereich Drama und Theater, über Fragen der Lebenspraxis bis hin zum Öffentlichkeitsbereich mit Religion, Staat und Politik.

Das fünfte Kapitel schließlich zeigt den Briefeschreiber. Lessing ist kein ausufernder und erzählfreudiger Verfasser persönlicher Erfahrungen und Erlebnisse. Seine Briefpartner müssen sich oft Monate gedulden, ehe er sich zu einer Antwort aufrafft. Die Briefe manifestieren indes eine Tugend des Lessingschen Schreibstils, ganz unabhängig von offiziellen Anlässen, nämlich den Drang nach Präzision und griffiger Formulierung. Lessings Briefkunst besteht oft darin, dass er zwischen seine situationsgebundenen Ausführungen einen allgemeinen Satz, eine knappe Sentenz oder eine allgemeine Maxime einstreut, die über die jeweilige Situation hinaus Gültigkeit hat, das Konkrete in den abstrakten Horizont überführt und so auch die Relativität des Konkreten offen legt. Oft verdeutlicht Lessing seine abstrakten Ausführungen durch ein individuell gemaltes Bild oder eine sorgsam dargestellte Szene. Ist für die früheren Briefe Nonchalance und Streitlust charakteristisch, so ist in den späteren Jahren die Zunahme von Lakonie und Melancholie unverkennbar. Die chronologische Anordnung der Briefzitate zeigt nochmals, dass Lessing sogar in misslichen persönlichen Situationen lapidare Sentenzen und treffsichere Pointen produzieren konnte, sicherlich nicht als Humorist, aber als ein Spötter und Kritiker, der den gehörigen Abstand zu sich selbst einhielt und bewahrte, um die geistige Freiheit zu bewahren, für die er sein Leben in die Bresche warf.

I
Gedichte und Epigramme
(Der Gedichteschreiber)

Antwort eines trunknen Dichters

Ein trunkner Dichter leerte
Sein Glas auf jeden Zug;
Ihn warnte sein Gefährte:
Hör' auf! du hast genug.

Bereit vom Stuhl zu sinken,
Sprach der: Du bist nicht klug;
Zu viel kann man wohl trinken,
Doch nie trinkt man genug.

Die Beredsamkeit

Freunde, Wasser machet stumm:
Lernet dieses an den Fischen.
Doch beim Weine kehrt sichs um:
Dieses lernt an unsern Tischen.
Was für Redner sind wir nicht,
Wenn der Rheinwein aus uns spricht!
Wir ermahnen, streiten, lehren;
Keiner will den andern hören.

Die Türken

Die Türken haben schöne Töchter,
Und diese scharfe Keuschheitswächter;
Wer will, kann mehr als Eine frein:
Ich möchte schon ein Türke sein.

Wie wollt' ich mich der Lieb' ergeben!
Wie wollt' ich liebend ruhig leben,
Und – – Doch sie trinken keinen Wein;
Nein, nein, ich mag kein Türke sein.

Der Geschmack der Alten

Ob wir, wir Neuern, vor den Alten
Den Vorzug des Geschmacks erhalten,
Was les't ihr darum vieles nach,
Was der und jener Franze sprach?
Die Franzen sind die Leute nicht,
Aus welchen ein Orakel spricht.

Ich will ein neues Urteil wagen.
Geschmack und Witz, es frei zu sagen,
War bei den Alten allgemein.
Warum? sie tranken alle Wein.
Doch ihr Geschmack war noch nicht fein;
Warum? sie mischten Wasser drein.

An den Wein

Wein, wenn ich dich jetzo trinke,
Wenn ich dich als Jüngling trinke,
Sollst du mich in allen Sachen
Dreist und klug, beherzt und weise,
Mir zum Nutz, und dir zum Preise,
Kurz, zu einem Alten machen.

Wein, werd' ich dich künftig trinken,
Werd' ich dich als Alter trinken,
Sollst du mich geneigt zum Lachen,
Unbesorgt für Tod und Lügen,
Dir zum Ruhm, mir zum Vergnügen,
Kurz, zu einem Jüngling machen.

Für wen ich singe

Ich singe nicht für kleine Knaben,
Die voller Stolz zur Schule gehn,
Und den Ovid in Händen haben,
Den ihre Lehrer nicht verstehn.

Ich singe nicht für euch, ihr Richter,
Die ihr voll spitz'ger Gründlichkeit
Ein unerträglich Joch dem Dichter,
Und euch die Muster selber seid.

Ich singe nicht den kühnen Geistern,
Die nur Homer und Milton reizt;
Weil man den unerschöpften Meistern
Die Lorbeern nur umsonst begeizt.

Ich singe nicht, durch Stolz gedrungen,
Für dich, mein deutsches Vaterland.
Ich fürchte jene Lästerzungen,
Die dich bis an den Pol verbannt.

Ich singe nicht für fremde Reiche.
Wie käm' mir solch ein Ehrgeiz ein?
Das sind verwegne Autorstreiche.
Ich mag nicht übersetzet sein.

Ich singe nicht für fromme Schwestern,
Die nie der Liebe Reiz gewinnt,
Die, wenn wir munter singen, lästern,
Daß wir nicht alle Schmolcken sind.

Ich singe nur für euch, ihr Brüder,
Die ihr den Wein erhebt, wie ich.
Für euch, für euch sind meine Lieder.
Singt ihr sie nach: o Glück für mich!

Ich singe nur für meine Schöne,
O muntre Phyllis, nur für dich.
Für dich, für dich sind meine Töne.
Stehn sie dir an, so küsse mich.

Ich

Die Ehre hat mich nie gesucht;
Sie hätte mich auch nie gefunden.
Wählt man, in zugezählten Stunden,
Ein prächtig Feierkleid zur Flucht?

Auch Schätze hab ich nie begehrt.
Was hilft es sie auf kurzen Wegen
Für Diebe mehr als sich zu hegen,
Wo man das wenigste verzehrt?

Wie lange währts, so bin ich hin,
Und einer Nachwelt untern Füßen?
Was braucht sie wen sie tritt zu wissen?
Weiß ich nur wer ich bin.

An den Herrn N**

Freund, noch sind ich und du dem Glücke
Ein leichter Schleiderball.
Und doch belebt auf seine Tücke
Kein beißend Lied den Widerhall?

Der Tor gedeiht, der Spötter steiget,
Dem Bösen fehlt kein Heil.
Verdienst steht nach, und fühlt gebeuget
Ein lohnend Amt dem Golde feil.

Auf, Freund! die Geißel zu erfassen,
Die dort vermodern will.
Seit Juvenal sie fallen lassen,
Liegt sie, Triumph ihr Laster! still.

Geduld! Schon rauscht sie durch die Lüfte,
Blutgierig rauscht sie her!
Verbergt, verbergt die bloße Hüfte!
Ein jeder Schmiß ein gift'ger Schwär!

Erst räche dich, dich Freund der Musen.
Du rächest sie in dir!
Doch dann auch mich, in dessen Busen
Ein Geist sich regt, zu gut für hier.

Vielleicht, daß einst in andern Welten
Wir minder elend sind.
Die Tugend wird doch irgends gelten.
Das Gute kömmt nicht gern geschwind.

Die Sinngedichte an den Leser

Wer wird nicht einen *Klopstock* loben?
Doch wird ihn jeder lesen? – Nein.
Wir wollen weniger erhoben,
Und fleißiger gelesen sein.

Auf die Europa

Als Zeus Europen lieb gewann,
Nahm er, die Schöne zu besiegen,
Verschiedene Gestalten an,
Verschieden ihr verschiedlich anzuliegen.
Als Gott zuerst erschien er ihr;
Dann als ein Mann, und endlich als ein Tier.
Umsonst legt er, als Gott, den Himmel ihr zu Füßen:
Stolz fliehet sie vor seinen Küssen.
Umsonst fleht er, als Mann, in schmeichelhaftem Ton:
Verachtung war der Liebe Lohn.
Zuletzt – mein schön Geschlecht, gesagt zu deinen Ehren! –
Ließ sie – von wem? – vom Bullen sich betören.

Kleinigkeiten

von

G. E. Leßing.

Parva mei mihi ſunt cordi monumenta laboris;
At populus tumido gaudeat Antimacho.

Catullus.

Vierte Auflage.

Stutgart
bey Johann Benedict Mezler
1769.

An eine würdige Privatperson

Gibt einst der Leichenstein von dem, was du gewesen,
Dem Enkel, der dich schätzt, so viel er braucht, zu
lesen,
So sei die Summe dies: »Er lebte schlecht und recht,
Ohn' Amt und Gnadengeld, und niemands Herr
noch Knecht.«

Das schlimmste Tier

Wie heißt das schlimmste Tier mit Namen?
So fragt' ein König einen weisen Mann.
Der Weise sprach: von wilden heißts Tyrann,
Und Schmeichler von den zahmen.

An einen Autor

Mit so bescheiden stolzem Wesen
Trägst du dein neustes Buch – welch ein Geschenk! –
mir an.
Doch, wenn ichs nehme, grundgelehrter Mann,
Mit Gunst: muß ich es dann auch lesen?

Auf einen bekannten Dichter

Den nennt der Dichter Mars, und die nennt er Cythere;
Hier kommen Grazien, hier Musen ihm die Quere.
Apoll, Minerva, Zeus verschönern was er spricht;
Wen er zum Gott nicht macht, den lobt er lieber nicht.

Ihr, die ihr ihn der Welt verachtungswert gewiesen,
Trotz allen Tugenden, die er verstellt gepriesen;
Wenn er die Götter all auf fertger Zunge trägt,
Was wunderts euch, daß er im Herzen keinen hegt?

Lob der Faulheit

Faulheit, itzo will ich dir
Auch ein kleines Loblied bringen.
O -- wie -- sau -- er -- wird es mir, --
Dich -- nach Würden -- zu besingen!
Doch, ich will mein Bestes tun,
Nach der Arbeit ist gut ruhn.

Höchstes Gut! wer dich nur hat,
Dessen ungestörtes Leben --
Ach! -- ich -- gähn -- ich -- werde matt --
Nun -- so -- magst du -- mirs vergeben,
Daß ich dich nicht singen kann;
Du verhinderst mich ja dran.

Der über uns

Hans Steffen stieg bei Dämmerung (und kaum
Konnt er vor Näschigkeit die Dämmerung erwarten)
In seines Edelmannes Garten
Und plünderte den besten Äpfelbaum.

Johann und Hanne konnten kaum
Vor Liebesglut die Dämmerung erwarten,
Und schlichen sich in eben diesen Garten,
Von ungefähr an eben diesen Äpfelbaum.

Hans Steffen, der im Winkel oben saß
Und fleißig brach und aß,
Ward mäuschenstill, vor Wartung böser Dinge,
Daß seine Näscherei ihm diesmal schlecht gelinge.
Doch bald vernahm er unten Dinge,
Worüber er der Furcht vergaß
Und immer sachte weiter aß.

Johann warf Hannen in das Gras.
»O pfui,« rief Hanne; »welcher Spaß!
Nicht doch, Johann! – Ei was?
Oh, schäme dich! – Ein andermal – o laß –
Oh, schäme dich! – Hier ist es naß.« – –
»Naß, oder nicht; was schadet das?
Es ist ja reines Gras.« –

Wie dies Gespräche weiter lief,
Das weiß ich nicht. Wer brauchts zu wissen?
Sie stunden wieder auf und Hanne seufzte tief:
»So, schöner Herr! heißt das bloß küssen?
Das Männerherz! Kein einzger hat Gewissen!
Sie könnten es uns so versüßen!
Wie grausam aber müssen
Wir armen Mädchen öfters dafür büßen!

Wenn nun auch mir ein Unglück widerfährt –
Ein Kind – ich zittre – wer ernährt
Mir dann das Kind? Kannst du es mir ernähren?«
»Ich?« sprach Johann; »die Zeit mags lehren.
Doch wirds auch nicht von mir ernährt,
Der über uns wirds schon ernähren,
Dem über uns vertrau!«

Dem über uns! Dies hörte Steffen.
Was, dacht er, will das Pack mich äffen?
Der über ihnen? Ei, wie schlau!
»Nein!« schrie er: »laßt euch andre Hoffnung laben!
Der über euch ist nicht so toll!
Wenn ich ein Bankbein nähren soll:
So will ich es auch selbst gedrechselt haben!«

Wer hier erschrak und aus dem Garten rann,
Das waren Hanne und Johann.
Doch gaben bei dem Edelmann
Sie auch den Äpfeldieb wohl an?
Ich glaube nicht, daß sies getan.

II
Fabeln
(Der Lehrdichter)

Der Tanzbär

Ein Tanzbär war der Kett' entrissen,
Kam wieder in den Wald zurück,
Und tanzte seiner Schar ein Meisterstück
Auf den gewohnten Hinterfüßen.
»Seht, schrie er, das ist Kunst; das lernt man in der
Welt.
Tut mir es nach, wenns euch gefällt,
Und wenn ihr könnt!« Geh, brummt ein alter Bär,
Dergleichen Kunst, sie sei so schwer,
Sie sei so rar sie sei,
Zeigt deinen niedern Geist und deine Sklaverei.

*

Ein großer Hofmann sein,
Ein Mann, dem Schmeichelei und List
Statt Witz und Tugend ist;
Der durch Kabalen steigt, des Fürsten Gunst erstiehlt,
Mit Wort und Schwur als Komplimenten spielt,
Ein solcher Mann, ein großer Hofmann sein,
Schließt das Lob oder Tadel ein?

Das Muster der Ehen

Ein rares Beispiel will ich singen,
Wobei die Welt erstaunen wird.
Daß alle Ehen Zwietracht bringen,
Glaubt jeder, aber jeder irrt.

Ich sah das Muster aller Ehen,
Still, wie die stillste Sommernacht.
O! daß sie keiner möge sehen,
Der mich zum frechen Lügner macht!

Und gleichwohl war die Frau kein Engel,
Und der Gemahl kein Heiliger;
Es hatte jedes seine Mängel.
Denn niemand ist von allen leer.

Doch sollte mich ein Spötter fragen,
Wie diese Wunder möglich sind?
Der lasse sich zur Antwort sagen:
Der Mann war taub, die Frau war blind.

Faustin

Faustin, der ganze funfzehn Jahr
Entfernt von Haus und Hof und Weib und Kindern
war,
Ward, von dem Wucher reich gemacht,
Auf seinem Schiffe heimgebracht.
»Gott, seufzt der redliche Faustin,
Als ihm die Vaterstadt in dunkler Fern erschien,
Gott, strafe mich nicht meiner Sünden,

Und gib mir nicht verdienten Lohn!
Laß, weil du gnädig bist, mich Tochter, Weib und Sohn
Gesund und fröhlich wieder finden.«
So seufzt Faustin, und Gott erhört den Sünder.
Er kam, und fand sein Haus in Überfluß und Ruh.
Er fand sein Weib und seine beiden Kinder,
Und – Segen Gottes! – zwei dazu.

Der Wolf und der Schäfer

Ein Schäfer hatte durch eine grausame Seuche seine ganze Herde verloren. Das erfuhr der Wolf, und kam seine Kondolenz abzustatten.

Schäfer, sprach er, ist es wahr, daß dich ein so grausames Unglück betroffen? Du bist um deine ganze Herde gekommen? Die liebe, fromme, fette Herde! Du tauerst mich, und ich möchte blutige Tränen weinen.

Habe Dank, Meister Isegrim; versetzte der Schäfer. Ich sehe, du hast ein sehr mitleidiges Herz.

Das hat er auch wirklich, fügte des Schäfers Hylax hinzu, so oft er unter dem Unglücke seines Nächsten selbst leidet.

Das Roß und der Stier

Auf einem feurigen Rosse floh stolz ein dreuster Knabe daher. Da rief ein wilder Stier dem Rosse zu: Schande! von einem Knaben ließ ich mich nicht regieren!

Aber ich; versetzte das Roß. Denn was für Ehre könnte es mir bringen, einen Knaben abzuwerfen?

Der Fuchs und der Storch

Erzähle mir doch etwas von den fremden Ländern, die du alle gesehen hast, sagte der Fuchs zu dem weitgereisten Storche.

Hierauf fing der Storch an, ihm jede Lache, und jede feuchte Wiese zu nennen, wo er die schmackhaftesten Würmer, und die fettesten Frösche geschmauset.

Sie sind lange in Paris gewesen, mein Herr. Wo speiset man da am besten? Was für Weine haben Sie da am meisten nach Ihrem Geschmacke gefunden?

Der Esel und der Wolf

Ein Esel begegnete einem hungrigen Wolfe. Habe Mitleiden mit mir, sagte der zitternde Esel; ich bin ein armes krankes Tier; sieh nur, was für einen Dorn ich mir in den Fuß getreten habe! –

Wahrhaftig, du tauerst mich; versetzte der Wolf. Und ich finde mich in meinem Gewissen verbunden, dich von diesen Schmerzen zu befreien.

Kaum war das Wort gesagt, so ward der Esel zerrissen.

Der Wolf auf dem Todbette

Fab. Aesop. 144. Phaedrus lib. I. Fab. 8

Der Wolf lag in den letzten Zügen und schickte einen prüfenden Blick auf sein vergangenes Leben zurück. Ich bin freilich ein Sünder, sagte er; aber doch, hoffe ich, keiner von den größten. Ich habe Böses getan; aber auch viel Gutes. Einsmals, erinnere ich mich, kam mir ein blökendes Lamm, welches sich von der Herde verirret hatte, so nahe, daß ich es gar leicht hätte würgen können; und ich tat ihm nichts. Zu eben dieser Zeit hörte ich die Spöttereien und Schmähungen eines Schafes mit der bewundernswürdigsten Gleichgültigkeit an, ob ich schon keine schützende Hunde zu fürchten hatte.

Und das alles kann ich dir bezeugen; fiel ihm Freund Fuchs, der ihn zum Tode bereiten half, ins Wort. Denn ich erinnere mich noch gar wohl aller Umstände dabei. Es war zu eben der Zeit, als du dich an dem Beine so jämmerlich würgtest, das dir der gutherzige Kranich hernach aus dem Schlunde zog.

Der Löwe mit dem Esel

Phaedrus lib. I. Fab. 11

Als des Aesopus Löwe mit dem Esel, der ihm durch seine fürchterliche Stimme die Tiere sollte jagen helfen, nach dem Walde ging, rief ihm eine nasenweise Krähe von dem Baume zu: Ein schöner Gesellschafter! Schämst du dich nicht, mit einem Esel zu gehen? – Wen ich brauchen kann, versetzte der Löwe, dem kann ich ja wohl meine Seite gönnen.

So denken die Großen alle, wenn sie einen Niedrigen ihrer Gemeinschaft würdigen.

Gotthold Ephraim Lessings

Fabeln.

Drey Bücher.

Nebst Abhandlungen mit dieser Dichtungsart verwandten Inhalts.

Berlin,
bey Christian Friedrich Voß 1759.

Drucktitel der Erstausgabe von Lessings „Fabeln“ (1759).

Die Wasserschlange

Fab. Aesop. 167. Phaedrus lib. I. Fab. 2

Zeus hatte nunmehr den Fröschen einen andern König gegeben; anstatt eines friedlichen Klotzes, eine gefräßige Wasserschlange.

Willst du unser König sein, schrieen die Frösche, warum verschlingst du uns? – Darum, antwortete die Schlange, weil ihr um mich gebeten habt. –

Ich habe nicht um dich gebeten! rief einer von den Fröschen, den sie schon mit den Augen verschlang. – Nicht? sagte die Wasserschlange. Desto schlimmer! So muß ich dich verschlingen, weil du nicht um mich gebeten hast.

Der Rabe und der Fuchs

Fab. Aesop. 205. Phaedrus lib. I. Fab. 13

Ein Rabe trug ein Stück vergiftetes Fleisch, das der erzürnte Gärtner für die Katzen seines Nachbars hingeworfen hatte, in seinen Klauen fort.

Und eben wollte er es auf einer alten Eiche verzehren, als sich ein Fuchs herbei schlich, und ihm zurief: Sei mir gesegnet, Vogel des Jupiters! – Für wen siehst du mich an? fragte der Rabe. – Für wen ich dich ansehe? erwiderte der Fuchs. Bist du nicht der rüstige Adler, der täglich von der Rechte des Zeus auf diese Eiche herab kömmt, mich Armen zu speisen? Warum verstellst du dich? Sehe ich denn nicht in der siegreichen Klaue die erflehte Gabe, die mir dein Gott durch dich zu schicken noch fortfährt?

Der Rabe erstaunte, und freuete sich innig, für einen

Adler gehalten zu werden. Ich muß, dachte er, den Fuchs aus diesem Irrtume nicht bringen. – Großmütig dumm ließ er ihm also seinen Raub herabfallen, und flog stolz davon.

Der Fuchs fing das Fleisch lachend auf, und fraß es mit boshafter Freude. Doch bald verkehrte sich die Freude in ein schmerzhaftes Gefühl; das Gift fing an zu wirken, und er verreckte.

Möchtet ihr euch nie etwas anders als Gift erloben, verdammte Schmeichler!

Der Geizige

Fab. Aesop. 59

Ich Unglücklicher! klagte ein Geizhals seinem Nachbar. Man hat mir den Schatz, den ich in meinem Garten vergraben hatte, diese Nacht entwendet, und einen verdammten Stein an dessen Stelle gelegt.

Du würdest, antwortete ihm der Nachbar, deinen Schatz doch nicht genutzt haben. Bilde dir also ein, der Stein sei dein Schatz; und du bist nichts ärmer.

Wäre ich auch schon nichts ärmer, erwiderte der Geizhals; ist ein andrer nicht um so viel reicher? Ein andrer um so viel reicher! Ich möchte rasend werden.

Der Besitzer des Bogens

Ein Mann hatte einen trefflichen Bogen von Ebenholz, mit dem er sehr weit und sehr sicher schoß, und den er ungemein wert hielt. Einst aber, als er ihn aufmerksam betrachtete, sprach er: Ein wenig zu plump bist du doch! Alle deine Zierde ist die Glätte. Schade! – Doch dem ist abzuhelfen; fiel ihm ein. Ich will hingehen und den besten Künstler Bilder in den Bogen schnitzen lassen. – Er ging hin; und der Künstler schnitzte eine ganze Jagd auf den Bogen; und was hätte sich besser auf einen Bogen geschickt, als eine Jagd?

Der Mann war voller Freuden. »Du verdienest diese Zieraten, mein lieber Bogen!« – Indem will er ihn versuchen; er spannt, und der Bogen – zerbricht.

Der Rangstreit der Tiere

in vier Fabeln

(1)

Es entstand ein hitziger Rangstreit unter den Tieren. Ihn zu schlichten, sprach das Pferd, lasset uns den Menschen zu Rate ziehen; er ist keiner von den streitenden Teilen, und kann desto unparteiischer sein.

Aber hat er auch den Verstand dazu? ließ sich ein Maulwurf hören. Er braucht wirklich den allerfeinsten, unsere oft tief versteckte Vollkommenheiten zu erkennen.

Das war sehr weislich erinnert! sprach der Hamster.

Ja wohl! rief auch der Igel. Ich glaube es nimmermehr, daß der Mensch Scharfsichtigkeit genug besitzet.

Schweigt ihr! befahl das Pferd. Wir wissen es schon: Wer sich auf die Güte seiner Sache am wenigsten zu verlassen hat, ist immer am fertigsten, die Einsicht seines Richters in Zweifel zu ziehen.

(2)

Der Mensch ward Richter. – Noch ein Wort, rief ihm der majestätische Löwe zu, bevor du den Ausspruch tust! Nach welcher Regel, Mensch, willst du unsern Wert bestimmen?

Nach welcher Regel? Nach dem Grade, ohne Zweifel, antwortete der Mensch, in welchem ihr mir mehr oder weniger nützlich seid. –

Vortrefflich! versetzte der beleidigte Löwe. Wie weit würde ich alsdenn unter dem Esel zu stehen kommen! Du kannst unser Richter nicht sein, Mensch! Verlaß die Versammlung!

(3)

Der Mensch entfernte sich. – Nun, sprach der höhnische Maulwurf, – (und ihm stimmte der Hamster und der Igel wieder bei) – siehst du, Pferd? der Löwe meint es auch, daß der Mensch unser Richter nicht sein kann. Der Löwe denkt, wie wir.

Aber aus bessern Gründen, als ihr! sagte der Löwe, und warf ihnen einen verächtlichen Blick zu.

(4)

Der Löwe fuhr weiter fort: Der Rangstreit, wenn ich es recht überlege, ist ein nichtswürdiger Streit! Haltet mich für den Vornehmsten oder für den Geringsten; es gilt mir gleich viel. Genug ich kenne mich! – Und so ging er aus der Versammlung.

Ihm folgte der weise Elefant, der kühne Tiger, der ernsthafte Bär, der kluge Fuchs, das edle Pferd; kurz, alle, die ihren Wert fühlten, oder zu fühlen glaubten.

Die sich am letzten wegbegaben, und über die zerrissene Versammlung am meisten murreten, waren – der Affe und der Esel.

Der Strauß

Das pfeilschnelle Renntier sahe den Strauß, und sprach: Das Laufen des Straußes ist so außerordentlich eben nicht; aber ohne Zweifel fliegt er desto besser.

Ein andermal sahe der Adler den Strauß und sprach: Fliegen kann der Strauß nun wohl nicht; aber ich glaube, er muß gut laufen können.

Die Geschichte des alten Wolfs,

in sieben Fabeln

Aelianus libr. IV. cap. 15

(1)

Der böse Wolf war zu Jahren gekommen, und faßte den gleißenden Entschluß, mit den Schäfern auf einem gütlichen Fuß zu leben. Er machte sich also auf, und kam zu dem Schäfer, dessen Horden seiner Höhle die nächsten waren.

Schäfer, sprach er, du nennest mich den blutgierigen Räuber, der ich doch wirklich nicht bin. Freilich muß ich mich an deine Schafe halten, wenn mich hungert; denn Hunger tut weh. Schütze mich nur vor dem Hunger; mache mich nur satt, und du sollst mit mir recht wohl zufrieden sein. Denn ich bin wirklich das zahmste, sanftmütigste Tier, wenn ich satt bin.

Wenn du satt bist? Das kann wohl sein: versetzte der Schäfer. Aber wenn bist du denn satt? Du und der Geiz werden es nie. Geh deinen Weg!

(2)

Der abgewiesene Wolf kam zu einem zweiten Schäfer.

Du weißt Schäfer, war seine Anrede, daß ich dir, das Jahr durch, manches Schaf würgen könnte. Willst du mir überhaupt jedes Jahr sechs Schafe geben; so bin ich zufrieden. Du kannst alsdenn sicher schlafen, und die Hunde ohne Bedenken abschaffen.

Sechs Schafe? sprach der Schäfer. Das ist ja eine ganze Herde! –

Nun, weil du es bist, so will ich mich mit fünfen begnügen: sagte der Wolf.

»Du scherzest; fünf Schafe! Mehr als fünf Schafe opfre ich kaum im ganzen Jahre dem Pan.«

Auch nicht viere? fragte der Wolf weiter; und der Schäfer schüttelte spöttisch den Kopf.

»Drei? – Zwei? – –«

Nicht ein einziges; fiel endlich der Bescheid. Denn es wäre ja wohl töricht, wenn ich mich einem Feinde zinsbar machte, vor welchem ich mich durch meine Wachsamkeit sichern kann.

(3)

Aller guten Dinge sind drei; dachte der Wolf und kam zu einem dritten Schäfer.

Es geht mir recht nahe, sprach er, daß ich unter euch Schäfern als das grausamste, gewissenloseste Tier verschrieen bin. Dir, Montan, will ich itzt beweisen, wie unrecht man mir tut. Gib mir jährlich ein Schaf, so soll deine Herde in jenem Walde, den niemand unsicher macht, als ich, frei und unbeschädigt weiden dürfen. Ein Schaf! Welche Kleinigkeit! Könnte ich großmütiger, könnte ich uneigennütziger handeln? – Du lachst, Schäfer? Worüber lachst du denn?

O über nichts! Aber wie alt bist du, guter Freund? sprach der Schäfer.

»Was geht dich mein Alter an? Immer noch alt genug, dir deine liebsten Lämmer zu würgen.«

Erzürne dich nicht, alter Isegrim! Es tut mir Leid, daß du mit deinem Vorschlage einige Jahre zu späte kömmst. Deine ausgebissenen Zähne verraten dich. Du spielst den Uneigennützigen, bloß um dich desto gemächlicher, mit desto weniger Gefahr nähren zu können.

(4)

Der Wolf ward ärgerlich, faßte sich aber doch, und ging auch zu dem vierten Schäfer. Diesem war eben sein treuer Hund gestorben, und der Wolf machte sich den Umstand zu Nutze.

Schäfer, sprach er, ich habe mich mit meinen Brüdern in dem Walde veruneiniget, und so, daß ich mich in Ewigkeit nicht wieder mit ihnen aussöhnen werde. Du weißt, wie viel du von ihnen zu fürchten hast! Wenn du mich aber, anstatt deines verstorbenen Hundes, in Dienste nehmen willst, so stehe ich dir dafür, daß sie keines deiner Schafe auch nur scheel ansehen sollen.

Du willst sie also, versetzte der Schäfer, gegen deine Brüder im Walde beschützen? –

»Was mache ich denn sonst? Freilich.«

Das wäre nicht übel! Aber, wenn ich dich nun in meine Horden einnähme, sage mir doch, wer sollte alsdenn meine armen Schafe gegen dich beschützen? Einen Dieb ins Haus nehmen, um vor den Dieben außer dem Hause sicher zu sein, das halten wir Menschen – –

Ich höre schon: sagte der Wolf; du fängst an zu moralisieren. Lebe wohl!

(5)

Wäre ich nicht so alt! knirschte der Wolf. Aber ich muß mich, leider, in die Zeit schicken. Und so kam er zu dem fünften Schäfer.

Kennst du mich, Schäfer? fragte der Wolf.

Deines gleichen wenigstens kenne ich: versetzte der Schäfer.

»Meines gleichen? Daran zweifle ich sehr. Ich bin ein so sonderbarer Wolf, daß ich deiner, und aller Schäfer Freundschaft wohl wert bin.«

Und wie sonderbar bist du denn?

»Ich könnte kein lebendiges Schaf würgen und fressen, und wenn es mir das Leben kosten sollte. Ich nähre mich bloß mit toten Schafen. Ist das nicht löblich? Erlaube mir also immer, daß ich mich dann und wann bei deiner Herde einfinden, und nachfragen darf, ob dir nicht –«

Spare der Worte! sagte der Schäfer. Du müßtest gar keine Schafe fressen, auch nicht einmal tote, wenn ich dein Feind nicht sein sollte. Ein Tier, das mir schon tote Schafe frißt, lernt leicht aus Hunger kranke Schafe für tot, und gesunde für krank ansehen. Mache auf meine Freundschaft also keine Rechnung, und geh!

(6)

Ich muß nun schon mein Liebstes daran wenden, um zu meinem Zwecke zu gelangen! dachte der Wolf, und kam zu dem sechsten Schäfer.

Schäfer, wie gefällt dir mein Belz? fragte der Wolf.

Dein Belz? sagte der Schäfer. Laß sehen! Er ist schön; die Hunde müssen dich nicht oft unter gehabt haben.

»Nun so höre, Schäfer; ich bin alt, und werde es so lange nicht mehr treiben. Füttere mich zu Tode; und ich vermache dir meinen Belz.«

Ei sieh doch! sagte der Schäfer. Kömmst du auch hinter die Schliche der alten Geizhälse? Nein, nein; dein Belz würde mich am Ende siebenmal mehr kosten, als er wert wäre. Ist es dir aber ein Ernst, mir ein Geschenk zu machen, so gib mir ihn gleich itzt. – Hiermit griff der Schäfer nach der Keule, und der Wolf flohe.

(7)

O die Unbarmherzigen! schrie der Wolf, und geriet in die äußerste Wut. So will ich auch als ihr Feind sterben, ehe mich der Hunger tötet; denn sie wollen es nicht besser!

Er lief, brach in die Wohnungen der Schäfer ein, riß ihre Kinder nieder, und ward nicht ohne große Mühe von den Schäfern erschlagen.

Da sprach der Weiseste von ihnen: Wir taten doch wohl Unrecht, daß wir den alten Räuber auf das Äußerste brachten, und ihm alle Mittel zur Besserung, so spät und erzwungen sie auch war, benahmen!

Der Falke

Des einen Glück ist in der Welt des andern Unglück. Eine alte Wahrheit, wird man sagen. Die aber, antworte ich, wichtig genug ist, daß man sie mit einer neuen Fabel erläutert.

Ein blutgieriger Falke schoß einem unschuldigen Taubenpaare nach, die sein Anblick eben in den vertrautesten Kennzeichen der Liebe gestört hatte. Schon war er ihnen so nah, daß alle Rettung unmöglich schien; schon gurrten sich die zärtlichen Freunde ihren Abschied zu. Doch schnell wirft der Falke einen Blick aus der Höhe, und wird unter sich einen Hasen gewahr. Er vergaß die Tauben; stürzte sich herab, und machte diesen zu seiner bessern Beute.

Der Wolf und das Schaf

Der Durst trieb ein Schaf an den Fluß; eine gleiche Ursache führte auf der andern Seite einen Wolf herzu. Durch die Drennung des Wassers gesichert und durch die Sicherheit höhnisch gemacht, rief das Schaf dem Räuber hinüber: »ich mache dir doch das Wasser nicht trübe, Herr Wolf? Sieh mich recht an; habe ich dir nicht etwa vor sechs Wochen nachgeschimpft? Wenigstens wird es mein Vater gewesen sein.« Der Wolf verstand die Spötterei; er betrachtete die Breite des Flusses und knirschte mit den Zähnen. Es ist dein Glück, antwortete er, daß wir Wölfe gewohnt sind, mit euch Schafen Geduld zu haben; und ging mit stolzen Schritten weiter.

[Nachahmung der 158. Fabel des Aesop]

Ich bin zu einer unglücklichen Stunde geboren! so klagte ein junger Fuchs einem alten. Fast keiner von meinen Anschlägen will mir gelingen. – Deine Anschläge, sagte der ältere Fuchs, werden ohne Zweifel danach sein. Laß doch hören; wenn machst du deine Anschläge? – Wenn ich sie mache? Wenn anders, als wenn mich hungert –– Wenn dich hungert? fuhr der alte Fuchs fort. Ja, da haben wir es! Hunger und Überlegung sind nie beisammen. Mache sie künftig wenn du satt bist, und sie werden besser ausfallen.

III
Dramatische Szenen
(Der Theaterautor)

Die Juden
(Zwei und zwanzigster Auftritt)

Das Fräulein und die Vorigen

LISETTE. Nun, warum sollte es nicht wahr sein?

DER BARON. Komm, meine Tochter, komm! Verbinde deine Bitte mit der meinigen: ersuche meinen Erretter, deine Hand, und mit deiner Hand mein Vermögen anzunehmen. Was kann ihm meine Dankbarkeit Kostbarers schenken, als dich, die ich eben so sehr liebe, als ihn? Wundern Sie sich nur nicht, wie ich Ihnen so einen Antrag tun könne. Ihr Bedienter hat uns entdeckt, wer Sie sind. Gönnen Sie mir das unschätzbare Vergnügen, erkenntlich zu sein! Mein Vermögen ist meinem Stande, und dieser dem Ihrigen gleich. Hier sind Sie vor Ihren Feinden sicher, und kommen unter Freunde, die Sie anbeten werden. Allein Sie werden niedergeschlagen? Was soll ich denken?

DAS FRÄULEIN. Sind Sie etwa meinetwegen in Sorgen? Ich versichere Sie, ich werde dem Papa mit Vergnügen gehorchen.

DER REISENDE. Ihre Großmut setzt mich in Erstaunen. Aus der Größe der Vergeltung, die Sie mir anbieten, erkenne ich erst, wie klein meine Wohltat ist. Allein, was soll ich Ihnen antworten? Mein Bedienter hat die Unwahrheit geredt, und ich –

DER BARON. Wollte der Himmel, daß Sie das nicht einmal wären, wofür er Sie ausgibt! Wollte der Himmel, Ihr Stand wäre geringer, als der meinige! So würde doch meine Vergeltung etwas kostbarer, und Sie würden vielleicht weniger ungeneigt sein, meine Bitte Statt finden zu lassen.

DER REISENDE *(bei Seite)*. Warum entdecke ich mich auch nicht? – Mein Herr, Ihre Edelmütigkeit durchdringet meine ganze Seele. Allein schreiben Sie es dem Schicksale, nicht mir zu, daß Ihr Anerbieten vergebens ist. Ich bin – –

DER BARON. Vielleicht schon verheiratet?

DER REISENDE. Nein – –

DER BARON. Nun? was?

DER REISENDE. Ich bin ein Jude.

DER BARON. Ein Jude? grausamer Zufall!

CHRISTOPH. Ein Jude?

LISETTE. Ein Jude?

DAS FRÄULEIN. Ei, was tut das?

LISETTE. St! Fräulein, st! ich will es Ihnen hernach sagen, was das tut.

DER BARON. So gibt es denn Fälle, wo uns der Himmel selbst verhindert, dankbar zu sein?

DER REISENDE. Sie sind es überflüssig dadurch, daß Sie 1es sein wollen.

DER BARON. So will ich wenigstens so viel tun, als mir das Schicksal zu tun erlaubt. Nehmen Sie mein ganzes Vermögen. Ich will lieber arm und dankbar, als reich und undankbar sein.

DER REISENDE. Auch dieses Anerbieten ist bei mir umsonst, da mir der Gott meiner Väter mehr gegeben hat, als ich brauche. Zu aller Vergeltung bitte ich nichts, als daß Sie künftig von meinem Volke etwas gelinder und weniger allgemein urteilen. Ich habe mich nicht vor Ihnen verborgen, weil ich mich meiner Religion schäme. Nein! ich sahe aber, daß Sie Neigung zu mir, und Abneigung gegen meine Nation hatten. Und die Freundschaft eines Menschen, er sei wer er wolle, ist mir allezeit unschätzbar gewesen.

DER BARON. Ich schäme mich meines Verfahrens.

CHRISTOPH. Nun komm ich erst von meinem Erstaunen wieder zu mir selber. Was? Sie sind ein Jude, und haben das Herz gehabt, einen ehrlichen Christen in Ihre Dienste zu nehmen? Sie hätten mir dienen sollen. So wär es nach der Bibel recht gewesen. Potz Stern! Sie haben in mir die ganze Christenheit beleidigt – Drum habe ich nicht gewußt, warum der Herr, auf der Reise, kein Schweinfleisch essen wollte, und sonst hundert Alfanzereien machte. – Glauben Sie nur nicht, daß ich Sie länger begleiten werde! Verklagen will ich Sie noch dazu.

DER REISENDE. Ich kann es Euch nicht zumuten, daß Ihr besser, als der andre christliche Pöbel, denken sollt. Ich will Euch nicht zu Gemüte führen, aus was für erbärmlichen Umständen ich Euch in Hamburg riß. Ich will Euch auch nicht zwingen, länger bei mir zu bleiben. Doch weil ich mit Euren Diensten so ziemlich zufrieden bin, und ich Euch vorhin außerdem in einem ungegründeten Verdachte hatte, so behaltet zur Vergeltung, was diesen Verdacht verursachte. *(Gibt ihm die Dose)* Euren

Lohn könnt Ihr auch haben. Sodann geht, wohin Ihr wollt!

CHRISTOPH. Nein, der Henker! es gibt doch wohl auch Juden, die keine Juden sind. Sie sind ein braver Mann. Topp, ich bleibe bei Ihnen! Ein Christ hätte mir einen Fuß in die Rippen gegeben, und keine Dose!

DER BARON. Alles was ich von Ihnen sehe, entzückt mich. Kommen Sie, wir wollen Anstalt machen, daß die Schuldigen in sichere Verwahrung gebracht werden. O wie achtungswürdig wären die Juden, wenn sie alle Ihnen glichen!

DER REISENDE. Und wie liebenswürdig die Christen, wenn sie alle Ihre Eigenschaften besäßen!

(Der Baron, das Fräulein und der Reisende gehen ab)

Miss Sara Sampson

(Vierter Aufzug, Zweiter Auftritt)

MELLEFONT

(Nachdem er einigemal tiefsinnig auf und nieder gegangen) Was für ein Rätsel bin ich mir selbst! Wofür soll ich mich halten? Für einen Toren? oder für einen Bösewicht? – oder für beides? – Herz, was für ein Schalk bist du! – Ich liebe den Engel, so ein Teufel ich auch sein mag. – Ich lieb' ihn? Ja, gewiß, gewiß ich lieb' ihn. Ich weiß, ich wollte tausend Leben für sie aufopfern, für sie, die mir ihre Tugend aufgeopfert hat! Ich wollt' es; jetzt gleich ohne Anstand wollt' ich es – Und doch, doch – Ich erschrecke, mir es selbst zu sagen – Und

doch – Wie soll ich es begreifen? – Und doch fürchte ich mich vor dem Augenblicke, der sie auf ewig, vor dem Angesichte der Welt, zu der Meinigen machen wird. – Er ist nun nicht zu vermeiden; denn der Vater ist versöhnt. Auch weit hinaus werde ich ihn nicht schieben können. Die Verzögerung desselben hat mir schon schmerzhafte Vorwürfe genug zugezogen. So schmerzhaft sie aber waren, so waren sie mir doch erträglicher, als der melancholische Gedanke, auf Zeit Lebens gefesselt zu sein. – Aber bin ich es denn nicht schon? – Ich bin es freilich, und bin es mit Vergnügen. – Freilich bin ich schon ihr Gefangener. – Was will ich also? – Das! – Itzt bin ich ein Gefangener, den man auf sein Wort frei herum gehen läßt: das schmeichelt! Warum kann es dabei nicht sein Bewenden haben? Warum muß ich eingeschmiedet werden, und auch so gar den elenden Schatten der Freiheit entbehren? – Eingeschmiedet? Nichts anders! – Sara Sampson, meine Geliebte! Wie viel Seligkeiten liegen in diesen Worten! Sara Sampson, meine Ehegattin! – Die Hälfte dieser Seligkeiten ist verschwunden! und die andre Hälfte – wird verschwinden. – Ich Ungeheuer! – Und bei diesen Gesinnungen soll ich an ihren Vater schreiben? – Doch es sind keine Gesinnungen; es sind Einbildungen! Vermaledeite Einbildungen, die mir durch ein zügelloses Leben so natürlich geworden! Ich will ihrer los werden, oder – nicht leben.

Minna von Barnhelm
(Vierter Aufzug, Sechster Auftritt)

von Tellheim (in dem nämlichen Kleide, aber sonst so, wie es Franziska verlangt). Das Fräulein. Franziska

VON TELLHEIM. Gnädiges Fräulein, Sie werden mein Verweilen entschuldigen –

DAS FRÄULEIN. O, Herr Major, so gar militärisch wollen wir es mit einander nicht nehmen. Sie sind ja da! Und ein Vergnügen erwarten, ist auch ein Vergnügen. – Nun? *(indem sie ihm lächelnd ins Gesicht sieht)* lieber Tellheim, waren wir nicht vorhin Kinder?

VON TELLHEIM. Ja wohl Kinder, gnädiges Fräulein; Kinder, die sich sperren, wo sie gelassen folgen sollten.

DAS FRÄULEIN. Wir wollen ausfahren, lieber Major, – die Stadt ein wenig zu besehen, – und hernach, meinem Oheim entgegen.

VON TELLHEIM. Wie?

DAS FRÄULEIN. Sehen Sie; auch das Wichtigste haben wir einander noch nicht sagen können. Ja, er trifft noch heut hier ein. Ein Zufall ist Schuld, daß ich, einen Tag früher, ohne ihn angekommen bin.

VON TELLHEIM. Der Graf von Bruchsall? Ist er zurück?

DAS FRÄULEIN. Die Unruhen des Krieges verscheuchten ihn nach Italien; der Friede hat ihn wieder zurückgebracht. – Machen Sie sich keine Gedanken, Tellheim. Besorgten wir schon ehemals das stärkste Hindernis unsrer Verbindung von seiner Seite –

VON TELLHEIM. Unserer Verbindung?

DAS FRÄULEIN. Er ist Ihr Freund. Er hat von zu vielen, zu viel Gutes von Ihnen gehört, um es nicht zu sein.

Er brennet, den Mann von Antlitz zu kennen, den seine einzige Erbin gewählt hat. Er kömmt als Oheim, als Vormund, als Vater, mich Ihnen zu übergeben.

VON TELLHEIM. Ah, Fräulein, warum haben Sie meinen Brief nicht gelesen? Warum haben Sie ihn nicht lesen wollen?

DAS FRÄULEIN. Ihren Brief? Ja, ich erinnere mich, Sie schickten mir einen. Wie war es denn mit diesem Briefe, Franziska? Haben wir ihn gelesen, oder haben wir ihn nicht gelesen? Was schrieben Sie mir denn, lieber Tellheim? –

VON TELLHEIM. Nichts, als was mir die Ehre befiehlt.

DAS FRÄULEIN. Das ist, ein ehrliches Mädchen, die Sie liebt, nicht sitzen zu lassen. Freilich befiehlt das die Ehre. Gewiß ich hätte den Brief lesen sollen. Aber was ich nicht gelesen habe, das höre ich ja.

VON TELLHEIM. Ja, Sie sollen es hören –

DAS FRÄULEIN. Nein, ich brauch es auch nicht einmal zu hören. Es versteht sich von selbst. Sie könnten eines so häßlichen Streiches fähig sein, daß Sie mich nun nicht wollten? Wissen Sie, daß ich auf Zeit meines Lebens beschimpft wäre? Meine Landsmänninnen würden mit Fingern auf mich weisen. – »Das ist sie, würde es heißen, das ist das Fräulein von Barnhelm, die sich einbildete, weil sie reich sei, den wackern Tellheim zu bekommen: als ob die wackern Männer für Geld zu haben wären!« So würde es heißen: denn meine Landsmänninnen sind alle neidisch auf mich. Daß ich reich bin, können sie nicht leugnen; aber davon wollen sie nichts wissen, daß ich auch sonst noch ein ziemlich gutes Mädchen bin, das seines Mannes wert ist. Nicht wahr, Tellheim?

VON TELLHEIM. Ja, ja, gnädiges Fräulein, daran erkenne ich Ihre Landsmänninnen. Sie werden Ihnen einen abgedankten, an seiner Ehre gekränkten Offizier, einen Krüppel, einen Bettler, trefflich beneiden.

DAS FRÄULEIN. Und das alles wären Sie? Ich hörte so was, wenn ich mich nicht irre, schon heute Vormittage. Da ist Böses und Gutes unter einander. Lassen Sie uns doch jedes näher beleuchten. – Verabschiedet sind Sie? So höre ich. Ich glaubte, Ihr Regiment sei bloß untergesteckt worden. Wie ist es gekommen, daß man einen Mann von Ihren Verdiensten nicht beibehalten?

VON TELLHEIM. Es ist gekommen, wie es kommen müssen. Die Großen haben sich überzeugt, daß ein Soldat aus Neigung für sie ganz wenig; aus Pflicht nicht viel mehr: aber alles seiner eignen Ehre wegen tut. Was können sie ihm also schuldig zu sein glauben? Der Friede hat ihnen mehrere meines gleichen entbehrlich gemacht; und am Ende ist ihnen niemand unentbehrlich.

DAS FRÄULEIN. Sie sprechen, wie ein Mann sprechen muß, dem die Großen hinwiederum sehr entbehrlich sind. Und niemals waren sie es mehr, als jetzt. Ich sage den Großen meinen großen Dank, daß sie ihre Ansprüche auf einen Mann haben fahren lassen, den ich doch nur sehr ungern mit ihnen geteilet hätte. – Ich bin Ihre Gebieterin, Tellheim; Sie brauchen weiter keinen Herrn. – Sie verabschiedet zu finden, das Glück hätte ich mir kaum träumen lassen! – Doch Sie sind nicht bloß verabschiedet: Sie sind noch mehr. Was sind Sie noch mehr? Ein Krüppel: sagten Sie? Nun, *(indem sie ihn von oben bis unten betrachtet)* der Krüppel ist doch noch ziemlich ganz und gerade;

scheinet doch noch ziemlich gesund und stark. – Lieber Tellheim, wenn Sie auf den Verlust Ihrer gesunden Gliedmaßen betteln zu gehen denken: so prophezeie ich Ihnen voraus, daß Sie vor den wenigsten Türen etwas bekommen werden; ausgenommen vor den Türen der gutherzigen Mädchen, wie ich.

VON TELLHEIM. Jetzt höre ich nur das mutwillige Mädchen, liebe Minna.

DAS FRÄULEIN. Und ich höre in Ihrem Verweise nur das Liebe Minna. – Ich will nicht mehr mutwillig sein. Denn ich besinne mich, daß Sie allerdings ein kleiner Krüppel sind. Ein Schuß hat Ihnen den rechten Arm ein wenig gelähmt. – Doch alles wohl überlegt: so ist auch das so schlimm nicht. Um so viel sichrer bin ich vor Ihren Schlägen.

VON TELLHEIM. Fräulein!

DAS FRÄULEIN. Sie wollen sagen: Aber Sie um so viel weniger vor meinen. Nun, nun, lieber Tellheim, ich hoffe, Sie werden es nicht dazu kommen lassen.

VON TELLHEIM. Sie wollen lachen, mein Fräulein. Ich beklage nur, daß ich nicht mit lachen kann.

DAS FRÄULEIN. Warum nicht? Was haben Sie denn gegen das Lachen? Kann man denn auch nicht lachend sehr ernsthaft sein? Lieber Major, das Lachen erhält uns vernünftiger, als der Verdruß. Der Beweis liegt vor uns. Ihre lachende Freundin beurteilet Ihre Umstände weit richtiger, als Sie selbst. Weil Sie verabschiedet sind, nennen Sie sich an Ihrer Ehre gekränkt: weil Sie einen Schuß in dem Arme haben, machen Sie sich zu einem Krüppel. Ist das so recht? Ist das keine Übertreibung? Und ist es meine Einrichtung, daß alle Übertreibungen des Lächerlichen so fähig sind? Ich wette, wenn ich Ihren Bettler nun vornehme, daß auch dieser eben so wenig Stich halten wird. Sie werden einmal, zweimal, dreimal Ihre Equipage verloren haben; bei dem oder jenem Banquier werden einige Kapitale jetzt mit schwinden; Sie werden diesen und jenen Vorschuß, den Sie im Dienste getan, keine Hoffnung haben, wieder zu erhalten: aber sind Sie darum ein Bettler? Wenn Ihnen auch nichts übrig geblieben ist, als was mein Oheim für Sie mitbringt –

VON TELLHEIM. Ihr Oheim, gnädiges Fräulein, wird für mich nichts mitbringen.

DAS FRÄULEIN. Nichts, als die zweitausend Pistolen, die Sie unsern Ständen so großmütig vorschossen.

VON TELLHEIM. Hätten Sie doch nur meinen Brief gelesen, gnädiges Fräulein!

DAS FRÄULEIN. Nun ja, ich habe ihn gelesen. Aber was ich über diesen Punkt darin gelesen, ist mir ein wahres Rätsel. Unmöglich kann man Ihnen aus einer edlen Handlung ein Verbrechen machen wollen. – Erklären Sie mir doch, lieber Major –

VON TELLHEIM. Sie erinnern sich, gnädiges Fräulein, daß ich Ordre hatte, in den Ämtern Ihrer Gegend die Kontribution mit der äußersten Strenge bar beizutreiben. Ich wollte mir diese Strenge ersparen, und schoß die fehlende Summe selbst vor. –

DAS FRÄULEIN. Ja wohl erinnere ich mich. – Ich liebte Sie um dieser Tat willen, ohne Sie noch gesehen zu haben.

VON TELLHEIM. Die Stände gaben mir ihren Wechsel, und diesen wollte ich, bei Zeichnung des Friedens, unter die zu ratihabierende Schulden eintragen lassen. Der Wechsel ward für gültig erkannt, aber mir ward das Eigentum desselben streitig gemacht. Man zog spöttisch das Maul, als ich versicherte, die Valute bar hergegeben zu haben. Man erklärte ihn für eine Bestechung, für das Gratial der Stände, weil ich sobald mit ihnen auf die niedrigste Summe einig geworden war, mit der ich mich nur im äußersten Notfall zu begnügen, Vollmacht hatte. So kam der Wechsel aus meinen Händen, und wenn er bezahlt wird, wird er sicherlich nicht an mich bezahlt. – Hierdurch, mein Fräulein, halte ich meine Ehre für gekränkt; nicht durch den Abschied, den ich gefordert haben würde, wenn ich ihn nicht bekommen hätte. – Sie sind ernsthaft, mein Fräulein? Warum lachen Sie nicht? Ha, ha, ha! Ich lache ja.

DAS FRÄULEIN. O, ersticken Sie dieses Lachen, Tellheim! Ich beschwöre Sie! Es ist das schreckliche Lachen des Menschenhasses! Nein, Sie sind der Mann nicht, den eine gute Tat reuen kann, weil sie üble Folgen für ihn hat. Nein, unmöglich können diese üble Folgen dauren! Die Wahrheit muß an den Tag kommen. Das Zeugnis meines Oheims, aller unsrer Stände –

VON TELLHEIM. Ihres Oheims! Ihrer Stände! Ha, ha, ha!

DAS FRÄULEIN. Ihr Lachen tötet mich, Tellheim! Wenn Sie an Tugend und Vorsicht glauben, Tellheim, so lachen Sie so nicht! Ich habe nie fürchterlicher fluchen hören, als Sie lachen. – Und lassen Sie uns das Schlimmste setzen! Wenn man Sie hier durchaus verkennen will: so kann man Sie bei uns nicht verkennen. Nein, wir können, wir werden Sie nicht verkennen, Tellheim. Und wenn unsere Stände die geringste Empfindung von Ehre haben, so weiß ich was sie tun müssen. Doch ich bin nicht klug: was wäre das nötig? Bilden Sie sich ein, Tellheim, Sie hätten die zweitausend Pistolen an einem wilden Abende verloren.

Der König war eine unglückliche Karte für Sie: die Dame *(auf sich weisend)* wird Ihnen desto günstiger sein. – Die Vorsicht, glauben Sie mir, hält den ehrlichen Mann immer schadlos; und öfters schon im voraus. Die Tat, die Sie einmal um zweitausend Pistolen bringen sollte, erwarb mich Ihnen. Ohne diese Tat, würde ich nie begierig gewesen sein, Sie kennen zu lernen. Sie wissen, ich kam uneingeladen in die erste Gesellschaft, wo ich Sie zu finden glaubte. Ich kam bloß Ihrentwegen. Ich kam in dem festen Vorsatze, Sie zu lieben, – ich liebte Sie schon! – in dem festen Vorsatze, Sie zu besitzen, wenn ich Sie auch so schwarz und häßlich finden sollte, als den Mohr von Venedig. Sie sind so schwarz und häßlich nicht; auch so eifersüchtig werden Sie nicht sein. Aber Tellheim, Tellheim, Sie haben doch noch viel Ähnliches mit ihm! O, über die wilden, unbiegsamen Männer, die nur immer ihr stieres Auge auf das Gespenst der Ehre heften! für alles andere Gefühl sich verhärten! – Hierher Ihr Auge! auf mich, Tellheim! *(der indes vertieft, und unbeweglich, mit starren Augen immer auf eine Stelle gesehen)* Woran denken Sie? Sie hören mich nicht?

VON TELLHEIM *(zerstreut)*. O ja! Aber sagen Sie mir doch, mein Fräulein, wie kam der Mohr in venetianische Dienste? Hatte der Mohr kein Vaterland? Warum vermietete er seinen Arm und sein Blut einem fremden Staate? –

DAS FRÄULEIN *(erschrocken)*. Wo sind Sie, Tellheim? – Nun ist es Zeit, daß wir abbrechen; – Kommen Sie! *(indem sie ihn bei der Hand ergreift)* – Franziska, laß den Wagen vorfahren.

VON TELLHEIM *(der sich von dem Fräulein los reißt und*

der Franziska nachgeht). Nein, Franziska; ich kann nicht die Ehre haben, das Fräulein zu begleiten. – Mein Fräulein, lassen Sie mir noch heute meinen gesunden Verstand, und beurlauben Sie mich. Sie sind auf dem besten Wege, mich darum zu bringen. Ich stemme mich, so viel ich kann. – Aber weil ich noch bei Verstande bin: so hören Sie, mein Fräulein, was ich fest beschlossen habe; wovon mich nichts in der Welt abbringen soll. – Wenn nicht noch ein glücklicher Wurf für mich im Spiele ist, wenn sich das Blatt nicht völlig wendet, wenn –

DAS FRÄULEIN. Ich muß Ihnen ins Wort fallen, Herr Major. – Das hätten wir ihm gleich sagen sollen, Franziska. Du erinnerst mich auch an gar nichts. – Unser Gespräch würde ganz anders gefallen sein, Tellheim, wenn ich mit der guten Nachricht angefangen hätte, die Ihnen der Chevalier de la Marliniere nur eben zu bringen kam.

VON TELLHEIM. Der Chevalier de la Marliniere? Wer ist das?

FRANZISKA. Es mag ein ganz guter Mann sein, Herr Major, bis auf –

DAS FRÄULEIN. Schweig, Franziska! – Gleichfalls ein verabschiedeter Offizier, der aus holländischen Diensten –

VON TELLHEIM. Ha! der Lieutenant Riccaut!

DAS FRÄULEIN. Er versicherte, daß er Ihr Freund sei.

VON TELLHEIM. Ich versichere, daß ich seiner nicht bin.

DAS FRÄULEIN. Und daß ihm, ich weiß nicht welcher Minister, vertrauet habe, Ihre Sache sei dem glücklichsten Ausgange nahe. Es müsse ein Königliches Handschreiben an Sie unterwegens sein. –

VON TELLHEIM. Wie kämen Riccaut und ein Minister

zusammen? – Etwas zwar muß in meiner Sache geschehen sein. Denn nur jetzt erklärte mir der Kriegszahlmeister, daß der König alles niedergeschlagen habe, was wider mich urgieret worden; und daß ich mein schriftlich gegebenes Ehrenwort, nicht eher von hier zu gehen, als bis man mich völlig entladen habe, wieder zurücknehmen könne. – Das wird es aber auch alles sein. Man wird mich wollen laufen lassen. Allein man irrt sich; ich werde nicht laufen. Eher soll mich hier das äußerste Elend, vor den Augen meiner Verleumder, verzehren –

DAS FRÄULEIN. Hartnäckiger Mann!

VON TELLHEIM. Ich brauche keine Gnade; ich will Gerechtigkeit. Meine Ehre –

DAS FRÄULEIN. Die Ehre eines Mannes, wie Sie –

VON TELLHEIM *(hitzig)*. Nein, mein Fräulein, Sie werden von allen Dingen recht gut urteilen können, nur hierüber nicht. Die Ehre ist nicht die Stimme unsers Gewissens, nicht das Zeugnis weniger Rechtschaffenen – –

DAS FRÄULEIN. Nein, nein, ich weiß wohl. – Die Ehre ist – die Ehre.

VON TELLHEIM. Kurz, mein Fräulein, – Sie haben mich nicht ausreden lassen. – Ich wollte sagen: wenn man mir das Meinige so schimpflich vorenthält, wenn meiner Ehre nicht die vollkommenste Genugtuung geschieht; so kann ich, mein Fräulein, der Ihrige nicht sein. Denn ich bin es in den Augen der Welt nicht wert, zu sein. Das Fräulein von Barnhelm verdienet einen unbescholtenen Mann. Es ist eine nichtswürdige Liebe, die kein Bedenken trägt, ihren Gegenstand der Verachtung auszusetzen. Es ist ein nichtswürdiger Mann, der sich nicht schämet, sein ganzes Glück einem Frauenzimmer zu verdanken, dessen blinde Zärtlichkeit –

DAS FRÄULEIN. Und das ist Ihr Ernst, Herr Major? – *(Indem sie ihm plötzlich den Rücken wendet)* Franziska!

VON TELLHEIM. Werden Sie nicht ungehalten, mein Fräulein –

DAS FRÄULEIN *(bei Seite zur Franziska)*. Jetzt wäre es Zeit! Was rätst du mir, Franziska? –

FRANZISKA. Ich rate nichts. Aber freilich macht er es Ihnen ein wenig zu bunt. –

VON TELLHEIM *(der sie zu unterbrechen kömmt)*. Sie sind ungehalten, mein Fräulein –

DAS FRÄULEIN *(höhnisch)*. Ich? im geringsten nicht.

VON TELLHEIM. Wenn ich Sie weniger liebte, mein Fräulein –

DAS FRÄULEIN *(noch in diesem Tone)*. O gewiß, es wäre mein Unglück! – Und sehen Sie, Herr Major, ich will Ihr Unglück auch nicht. – Man muß ganz uneigennützig lieben. – Eben so gut, daß ich nicht offenherziger gewesen bin! Vielleicht würde mir Ihr Mitleid gewähret haben, was mir Ihre Liebe versagt. – *(indem sie den Ring langsam vom Finger zieht)*

VON TELLHEIM. Was meinen Sie damit, Fräulein?

DAS FRÄULEIN. Nein, keines muß das andere, weder glücklicher noch unglücklicher machen. So will es die wahre Liebe! Ich glaube Ihnen, Herr Major; und Sie haben zu viel Ehre, als daß Sie die Liebe verkennen sollten.

VON TELLHEIM. Spotten Sie, mein Fräulein?

DAS FRÄULEIN. Hier! Nehmen Sie den Ring wieder zurück, mit dem Sie mir Ihre Treue verpflichtet. *(Überreicht ihm den Ring)* Es sei drum! Wir wollen einander nicht gekannt haben!

Minna.

Minna: „Ich hab' ihn, ich hab' ihn, ich bin glücklich und fröhlich!"

Illustration von Chodowiecki zur „Minna von Barnhelm" (1770).

Minna von Barnhelm, II,7
Illustration von Daniel Chodowiecki, 1770

VON TELLHEIM. Was höre ich?

DAS FRÄULEIN. Und das befremdet Sie? – Nehmen Sie, mein Herr. – Sie haben sich doch wohl nicht bloß gezieret?

VON TELLHEIM *(indem er den Ring aus ihrer Hand nimmt).* Gott! So kann Minna sprechen! –

DAS FRÄULEIN. Sie können der Meinige in Einem Falle nicht sein: ich kann die Ihrige, in keinem sein. Ihr Unglück ist wahrscheinlich; meines ist gewiß – Leben Sie wohl! *(Will fort)*

VON TELLHEIM. Wohin, liebste Minna? –

DAS FRÄULEIN. Mein Herr, Sie beschimpfen mich jetzt mit dieser vertraulichen Benennung.

VON TELLHEIM. Was ist Ihnen, mein Fräulein? Wohin?

DAS FRÄULEIN. Lassen Sie mich. – Meine Tränen vor Ihnen zu verbergen, Verräter! *(Geht ab)*

Emilia Galotti

(Erster Aufzug, Vierter Auftritt)

Der Prinz. Conti, mit den Gemälden, wovon er das eine verwandt gegen einen Stuhl lehnet

CONTI *(indem er das andere zurecht stellet).* Ich bitte, Prinz, daß Sie die Schranken unserer Kunst erwägen wollen. Vieles von dem Anzüglichsten der Schönheit liegt ganz außer den Grenzen derselben. – Treten Sie so! –

DER PRINZ *(nach einer kurzen Betrachtung).* Vortrefflich, Conti; – ganz vortrefflich! – Das gilt Ihrer Kunst, Ihrem Pinsel. – Aber geschmeichelt, Conti; ganz unendlich geschmeichelt!

CONTI. Das Original schien dieser Meinung nicht zu sein. Auch ist es in der Tat nicht mehr geschmeichelt, als die Kunst schmeicheln muß. Die Kunst muß malen, wie sich die plastische Natur, – wenn es eine gibt – das Bild dachte: ohne den Abfall, welchen der widerstrebende Stoff unvermeidlich macht; ohne das Verderb, mit welchem die Zeit dagegen an kämpfet.

DER PRINZ. Der denkende Künstler ist noch eins so viel wert. – Aber das Original, sagen Sie, fand dem ungeachtet –

CONTI. Verzeihen Sie, Prinz. Das Original ist eine Person, die meine Ehrerbietung fodert. Ich habe nichts Nachteiliges von ihr äußern wollen.

DER PRINZ. So viel als Ihnen beliebt! – Und was sagte das Original?

CONTI. Ich bin zufrieden, sagte die Gräfin, wenn ich nicht häßlicher aussehe.

DER PRINZ. Nicht häßlicher? – O das wahre Original!

CONTI. Und mit einer Miene sagte sie das, – von der freilich dieses ihr Bild keine Spur, keinen Verdacht zeiget.

DER PRINZ. Das meint' ich ja; das ist es eben, worin ich die unendliche Schmeichelei finde. – O! ich kenne sie, jene stolze höhnische Miene, die auch das Gesicht einer Grazie entstellen würde! – Ich leugne nicht, daß ein schöner Mund, der sich ein wenig spöttisch verziehet, nicht selten um so viel schöner ist. Aber, wohl gemerkt, ein wenig: die Verziehung muß nicht bis zur Grimasse gehen, wie bei dieser Gräfin. Und Augen müssen über den wollüstigen Spötter die Aufsicht führen, – Augen, wie sie die gute Gräfin nun gerade gar nicht hat. Auch nicht einmal hier im Bilde hat.

CONTI. Gnädiger Herr, ich bin äußerst betroffen –

DER PRINZ. Und worüber? Alles, was die Kunst aus den großen, hervorragenden, stieren, starren Medusenaugen der Gräfin Gutes machen kann, das haben Sie, Conti, redlich daraus gemacht. – Redlich, sag' ich? – Nicht so redlich, wäre redlicher. Denn sagen Sie selbst, Conti, läßt sich aus diesem Bilde wohl der Charakter der Person schließen? Und das sollte doch. Stolz haben Sie in Würde, Hohn in Lächeln, Ansatz zu trübsinniger Schwärmerei in sanfte Schwermut verwandelt.

CONTI *(etwas ärgerlich)*. Ah, mein Prinz, – wir Maler rechnen darauf, daß das fertige Bild den Liebhaber noch eben so warm findet, als warm er es bestellte. Wir malen mit Augen der Liebe: und Augen der Liebe müßten uns auch nur beurteilen.

DER PRINZ. Je nun, Conti; – warum kamen Sie nicht einen Monat früher damit? – Setzen Sie weg. – Was ist das andere Stück?

CONTI *(indem er es holt, und noch verkehrt in der Hand hält)*. Auch ein weibliches Porträt.

DER PRINZ. So möcht' ich es bald – lieber gar nicht sehen. Denn dem Ideal hier, *(mit dem Finger auf die Stirne)* – oder vielmehr hier, *(mit dem Finger auf das Herz)* kömmt es doch nicht bei. – Ich wünschte, Conti, Ihre Kunst in andern Vorwürfen zu bewundern.

CONTI. Eine bewundernswürdigere Kunst gibt es; aber sicherlich keinen bewundernswürdigern Gegenstand, als diesen.

DER PRINZ. So wett' ich, Conti, daß es des Künstlers eigene Gebieterin ist. – *(Indem der Maler das Bild umwendet)* Was seh' ich? Ihr Werk, Conti? oder das Werk meiner Phantasie? – Emilia Galotti!

CONTI. Wie, mein Prinz? Sie kennen diesen Engel?

DER PRINZ *(indem er sich zu fassen sucht, aber ohne ein Auge von dem Bilde zu verwenden).* So halb! – um sie eben wieder zu kennen. – Es ist einige Wochen her, als ich sie mit ihrer Mutter in einer Vegghia traf. – Nachher ist sie mir nur an heiligen Stätten wieder vorgekommen, – wo das Angaffen sich weniger ziemet. – Auch kenn' ich ihren Vater. Er ist mein Freund nicht. Er war es, der sich meinen Ansprüchen auf Sabionetta am meisten widersetzte. – Ein alter Degen; stolz und rauh; sonst bieder und gut! –

CONTI. Der Vater! Aber hier haben wir seine Tochter. –

DER PRINZ. Bei Gott! wie aus dem Spiegel gestohlen! *(Noch immer die Augen auf das Bild geheftet)* O, Sie wissen es ja wohl, Conti, daß man den Künstler dann erst recht lobt, wenn man über sein Werk sein Lob vergißt.

CONTI. Gleichwohl hat mich dieses noch sehr unzufrieden mit mir gelassen. – Und doch bin ich wiederum sehr zufrieden mit meiner Unzufriedenheit mit mir selbst. – Ha! daß wir nicht unmittelbar mit den Augen malen! Auf dem langen Wege, aus dem Auge durch den Arm in den Pinsel, wie viel geht da verloren! – Aber, wie ich sage, daß ich es weiß, was hier verloren gegangen, und wie es verloren gegangen, und warum es verloren gehen müssen: darauf bin ich eben so stolz, und stolzer, als ich auf alles das bin, was ich nicht verloren gehen lassen. Denn aus jenem erkenne ich, mehr als aus diesem, daß ich wirklich ein großer Maler bin; daß es aber meine Hand nur nicht immer ist. – Oder meinen Sie, Prinz, daß Raphael nicht das größte malerische Genie gewesen wäre, wenn er unglücklicher Weise ohne Hände wäre geboren worden? Meinen Sie, Prinz?

DER PRINZ *(indem er nur eben von dem Bilde wegblickt).* Was sagen Sie, Conti? Was wollen Sie wissen?

CONTI. O nichts, nichts! – Plauderei! Ihre Seele, merk' ich, war ganz in Ihren Augen. Ich liebe solche Seelen, und solche Augen.

DER PRINZ *(mit einer erzwungenen Kälte).* Also, Conti, rechnen Sie doch wirklich Emilia Galotti mit zu den vorzüglichsten Schönheiten unserer Stadt?

CONTI. Also? mit? mit zu den vorzüglichsten? und den vorzüglichsten unserer Stadt? – Sie spotten meiner, Prinz. Oder Sie sahen, die ganze Zeit, eben so wenig, als Sie hörten.

DER PRINZ. Lieber Conti, – *(die Augen wieder auf das Bild gerichtet)* wie darf unser einer seinen Augen trauen? Eigentlich weiß doch nur allein ein Maler von der Schönheit zu urteilen.

CONTI. Und eines jeden Empfindung sollte erst auf den Ausspruch eines Malers warten? – Ins Kloster mit dem, der es von uns lernen will, was schön ist! Aber das muß ich Ihnen doch als Maler sagen, mein Prinz: eine von den größten Glückseligkeiten meines Lebens ist es, daß Emilia Galotti mir gesessen. Dieser Kopf, dieses Antlitz, diese Stirn, diese Augen, diese Nase, dieser Mund, dieses Kinn, dieser Hals, diese Brust, dieser Wuchs, dieser ganze Bau, sind, von der Zeit an, mein einziges Studium der weiblichen Schönheit. – Die Schilderei selbst, wovor sie gesessen, hat ihr abwesender Vater bekommen. Aber diese Kopie –

DER PRINZ *(der sich schnell gegen ihn kehret).* Nun, Conti? ist doch nicht schon versagt?

CONTI. Ist für Sie, Prinz; wenn Sie Geschmack daran finden.

DER PRINZ. Geschmack! – *(Lächelnd)* Dieses Ihr Studium der weiblichen Schönheit, Conti, wie könnt' ich besser tun, als es auch zu dem meinigen zu machen? – Dort, jenes Porträt nehmen Sie nur wieder mit, – einen Rahmen darum zu bestellen.

CONTI. Wohl!

DER PRINZ. So schön, so reich, als ihn der Schnitzer nur machen kann. Es soll in der Galerie aufgestellet werden. – Aber dieses, bleibt hier. Mit einem Studio macht man so viel Umstände nicht: auch läßt man das nicht aufhängen; sondern hat es gern bei der Hand. – Ich danke Ihnen, Conti; ich danke Ihnen recht sehr. – Und wie gesagt: in meinem Gebiete soll die Kunst nicht nach Brot gehen; – bis ich selbst keines habe. – Schicken Sie, Conti, zu meinem Schatzmeister, und lassen Sie, auf Ihre Quittung, für beide Porträte sich bezahlen, – was Sie wollen. So viel Sie wollen, Conti.

CONTI. Sollte ich doch nun bald fürchten, Prinz, daß Sie so, noch etwas anders belohnen wollen, als die Kunst.

DER PRINZ. O des eifersüchtigen Künstlers! Nicht doch! – Hören Sie, Conti; so viel Sie wollen. *(Conti geht ab)*

Nathan der Weise
(Dritter Aufzug, 5.–7. Auftritt)

Fünfter Auftritt

Saladin und Nathan

SALADIN. Tritt näher, Jude! – Näher! – Nur ganz her! –
Nur ohne Furcht!
NATHAN. Die bleibe deinem Feinde!
SALADIN. Du nennst dich Nathan?
NATHAN. Ja.
SALADIN. Den weisen Nathan?
NATHAN. Nein.
SALADIN. Wohl! nennst du dich nicht; nennt dich das Volk.
NATHAN. Kann sein; das Volk!
SALADIN. Du glaubst doch nicht, daß ich
Verächtlich von des Volkes Stimme denke? –
Ich habe längst gewünscht, den Mann zu kennen,
Den es den Weisen nennt.
NATHAN. Und wenn es ihn
Zum Spott so nennte? Wenn dem Volke weise
Nichts weiter wär' als klug? und klug nur der,
Der sich auf seinen Vorteil gut versteht?
SALADIN. Auf seinen wahren Vorteil, meinst du doch?
NATHAN. Dann freilich wär' der Eigennützigste
Der Klügste. Dann wär' freilich klug und weise
Nur eins.
SALADIN. Ich höre dich erweisen, was
Du widersprechen willst. – Des Menschen wahre
Vorteile, die das Volk nicht kennt, kennst du.
Hast du zu kennen wenigstens gesucht;

Hast drüber nachgedacht: das auch allein
Macht schon den Weisen.

NATHAN. Der sich jeder dünkt
Zu sein.

SALADIN. Nun der Bescheidenheit genug!
Denn sie nur immerdar zu hören, wo
Man trockene Vernunft erwartet, ekelt.
(Er springt auf)
Laß uns zur Sache kommen! Aber, aber
Aufrichtig, Jud', aufrichtig!

NATHAN. Sultan, ich
Will sicherlich dich so bedienen, daß
Ich deiner fernern Kundschaft würdig bleibe.

SALADIN. Bedienen? wie?

NATHAN. Du sollst das Beste haben
Von allem; sollst es um den billigsten
Preis haben.

SALADIN. Wovon sprichst du? doch wohl nicht
Von deinen Waren? – Schachern wird mit dir
Schon meine Schwester. (Das der Horcherin!) –
Ich habe mit dem Kaufmann nichts zu tun.

NATHAN. So wirst du ohne Zweifel wissen wollen,
Was ich auf meinem Wege von dem Feinde,
Der allerdings sich wieder reget, etwa
Bemerkt, getroffen? – Wenn ich unverhohlen …

SALADIN. Auch darauf bin ich eben nicht mit dir
Gesteuert. Davon weiß ich schon, so viel
Ich nötig habe. – Kurz; –

NATHAN. Gebiete, Sultan.

SALADIN. Ich heische deinen Unterricht in ganz
Was anderm; ganz was anderm. – Da du nun
So weise bist: so sage mir doch einmal –

Was für ein Glaube, was für ein Gesetz
Hat dir am meisten eingeleuchtet?

NATHAN. Sultan,
Ich bin ein Jud'.

SALADIN. Und ich ein Muselmann.
Der Christ ist zwischen uns. – Von diesen drei
Religionen kann doch eine nur
Die wahre sein. – Ein Mann, wie du, bleibt da
Nicht stehen, wo der Zufall der Geburt
Ihn hingeworfen: oder wenn er bleibt,
Bleibt er aus Einsicht, Gründen, Wahl des Bessern.
Wohlan! so teile deine Einsicht mir
Dann mit. Laß mich die Gründe hören, denen
Ich selber nachzugrübeln, nicht die Zeit
Gehabt. Laß mich die Wahl, die diese Gründe
Bestimmt, – versteht sich, im Vertrauen – wissen,
Damit ich sie zu meiner mache. – Wie?
Du stutzest? wägst mich mit dem Auge? – Kann
Wohl sein, daß ich der erste Sultan bin,
Der eine solche Grille hat; die mich
Doch eines Sultans eben nicht so ganz
Unwürdig dünkt. – Nicht wahr? – So rede doch!
Sprich! – Oder willst du einen Augenblick,
Dich zu bedenken? Gut; ich geb' ihn dir. –
(Ob sie wohl horcht? Ich will sie doch belauschen;
Will hören, ob ichs recht gemacht. –) Denk nach!
Geschwind denk nach! Ich säume nicht, zurück
Zu kommen.

(Er geht in das Nebenzimmer, nach welchem sich Sittah begeben)

Sechster Auftritt

NATHAN *allein*

Hm! hm! – wunderlich! – Wie ist
Mir denn? – Was will der Sultan? was? – Ich bin
Auf Geld gefaßt; und er will – Wahrheit. Wahrheit!
Und will sie so, – so bar, so blank, – als ob
Die Wahrheit Münze wäre! – Ja, wenn noch
Uralte Münze, die gewogen ward! –
Das ginge noch! Allein so neue Münze,
Die nur der Stempel macht, die man aufs Brett
Nur zählen darf, das ist sie doch nun nicht!
Wie Geld in Sack, so striche man in Kopf
Auch Wahrheit ein? Wer ist denn hier der Jude?
Ich oder er? – Doch wie? Sollt' er auch wohl
Die Wahrheit nicht in Wahrheit fodern? – Zwar,
Zwar der Verdacht, daß er die Wahrheit nur
Als Falle brauche, wär' auch gar zu klein! –
Zu klein? – Was ist für einen Großen denn
Zu klein? – Gewiß, gewiß: er stürzte mit
Der Türe so ins Haus! Man pocht doch, hört
Doch erst, wenn man als Freund sich naht. – Ich muß
Behutsam gehn! – Und wie? wie das? – So ganz
Stockjude sein zu wollen, geht schon nicht. –
Und ganz und gar nicht Jude, geht noch minder.
Denn, wenn kein Jude, dürft er mich nur fragen,
Warum kein Muselmann? – Das wars! Das kann
Mich retten! – Nicht die Kinder bloß, speist man
Mit Märchen ab. – Er kömmt. Er komme nur!

August Wilhelm Iffland in der Rolle des Nathan
Zeichnung von Henschel

Siebender Auftritt

Saladin und Nathan

SALADIN.
(So ist das Feld hier rein!) – Ich komm' dir doch
Nicht zu geschwind zurück? Du bist zu Rande
Mit deiner Überlegung. – Nun so rede!
Es hört uns keine Seele.

NATHAN. Möcht auch doch
Die ganze Welt uns hören.

SALADIN. So gewiß
Ist Nathan seiner Sache? Ha! das nenn'
Ich einen Weisen! Nie die Wahrheit zu
Verhehlen! für sie alles auf das Spiel
Zu setzen! Leib und Leben! Gut und Blut!

NATHAN. Ja! ja! wanns nötig ist und nutzt.

SALADIN. Von nun
An darf ich hoffen, einen meiner Titel,
Verbesserer der Welt und des Gesetzes,
Mit Recht zu führen.

NATHAN. Traun, ein schöner Titel!
Doch, Sultan, eh ich mich dir ganz vertraue,
Erlaubst du wohl, dir ein Geschichtchen zu
Erzählen?

SALADIN. Warum das nicht? Ich bin stets
Ein Freund gewesen von Geschichtchen, gut
Erzählt.

NATHAN. Ja, *gut* erzählen, das ist nun
Wohl eben meine Sache nicht.

SALADIN. Schon wieder
So stolz bescheiden? – Mach! erzähl', erzähle!

NATHAN. Vor grauen Jahren lebt' ein Mann in Osten,
Der einen Ring von unschätzbarem Wert'

Aus lieber Hand besaß. Der Stein war ein
Opal, der hundert schöne Farben spielte,
Und hatte die geheime Kraft, vor Gott
Und Menschen angenehm zu machen, wer
In dieser Zuversicht ihn trug. Was Wunder,
Daß ihn der Mann in Osten darum nie
Vom Finger ließ; und die Verfügung traf,
Auf ewig ihn bei seinem Hause zu
Erhalten? Nämlich so. Er ließ den Ring
Von seinen Söhnen dem geliebtesten;
Und setzte fest, daß dieser wiederum
Den Ring von seinen Söhnen dem vermache,
Der ihm der liebste sei; und stets der liebste,
Ohn' Ansehn der Geburt, in Kraft allein
Des Rings, das Haupt, der Fürst des Hauses werde. –
Versteh mich, Sultan.

SALADIN. Ich versteh dich. Weiter!

NATHAN. So kam nun dieser Ring, von Sohn zu Sohn,
Auf einen Vater endlich von drei Söhnen;
Die alle drei ihm gleich gehorsam waren,
Die alle drei er folglich gleich zu lieben
Sich nicht entbrechen konnte. Nur von Zeit
Zu Zeit schien ihm bald der, bald dieser, bald
Der dritte, – so wie jeder sich mit ihm
Allein befand, und sein ergießend Herz
Die andern zwei nicht teilten, – würdiger
Des Ringes; den er denn auch einem jeden
Die fromme Schwachheit hatte, zu versprechen.
Das ging nun so, so lang es ging. – Allein
Es kam zum Sterben, und der gute Vater
Kömmt in Verlegenheit. Es schmerzt ihn, zwei
Von seinen Söhnen, die sich auf sein Wort
Verlassen, so zu kränken. – Was zu tun? –

Er sendet in geheim zu einem Künstler,
Bei dem er, nach dem Muster seines Ringes,
Zwei andere bestellt, und weder Kosten
Noch Mühe sparen heißt, sie jenem gleich,
Vollkommen gleich zu machen. Das gelingt
Dem Künstler. Da er ihm die Ringe bringt,
Kann selbst der Vater seinen Musterring
Nicht unterscheiden. Froh und freudig ruft
Er seine Söhne, jeden ins besondre;
Gibt jedem ins besondre seinen Segen, –
Und seinen Ring, – und stirbt. – Du hörst doch,
Sultan?

SALADIN *(der sich betroffen von ihm gewandt).*
Ich hör, ich höre! – Komm mit deinem Märchen
Nur bald zu Ende. – Wirds?

NATHAN. Ich bin zu Ende.
Denn was noch folgt, versteht sich ja von selbst. –
Kaum war der Vater tot, so kömmt ein jeder
Mit seinem Ring', und jeder will der Fürst
Des Hauses sein. Man untersucht, man zankt,
Man klagt. Umsonst; der rechte Ring war nicht
Erweislich; –

(Nach einer Pause, in welcher er des Sultans Antwort erwartet)

Fast so unerweislich, als
Uns itzt – der rechte Glaube.

SALADIN. Wie? das soll
Die Antwort sein auf meine Frage? ...

NATHAN. Soll
Mich bloß entschuldigen, wenn ich die Ringe,
Mir nicht getrau zu unterscheiden, die
Der Vater in der Absicht machen ließ,
Damit sie nicht zu unterscheiden wären.

SALADIN.
Die Ringe! – Spiele nicht mit mir! – Ich dächte,
Daß die Religionen, die ich dir
Genannt, doch wohl zu unterscheiden wären.
Bis auf die Kleidung; bis auf Speis und Trank!

NATHAN. Und nur von Seiten ihrer Gründe nicht. –
Denn gründen alle sich nicht auf Geschichte?
Geschrieben oder überliefert! – Und
Geschichte muß doch wohl allein auf Treu
Und Glauben angenommen werden? – Nicht? –
Nun wessen Treu und Glauben zieht man denn
Am wenigsten in Zweifel? Doch der Seinen?
Doch deren Blut wir sind? doch deren, die
Von Kindheit an uns Proben ihrer Liebe
Gegeben? die uns nie getäuscht, als wo
Getäuscht zu werden uns heilsamer war? –
Wie kann ich meinen Vätern weniger,
Als du den deinen glauben? Oder umgekehrt. –
Kann ich von dir verlangen, daß du deine
Vorfahren Lügen strafst, um meinen nicht
Zu widersprechen? Oder umgekehrt.
Das nämliche gilt von den Christen. Nicht? –

SALADIN. (Bei dem Lebendigen! Der Mann hat Recht.
Ich muß verstummen.)

NATHAN. Laß auf unsre Ring'
Uns wieder kommen. Wie gesagt: die Söhne
Verklagten sich; und jeder schwur dem Richter,
Unmittelbar aus seines Vaters Hand
Den Ring zu haben. – Wie auch wahr! – Nachdem
Er von ihm lange das Versprechen schon
Gehabt, des Ringes Vorrecht einmal zu
Genießen. – Wie nicht minder wahr! – Der Vater,
Beteu'rte jeder, könne gegen ihn

Nicht falsch gewesen sein; und eh' er dieses
Von ihm, von einem solchen lieben Vater,
Argwohnen laß': eh' müß' er seine Brüder,
So gern er sonst von ihnen nur das Beste
Bereit zu glauben sei, des falschen Spiels
Bezeihen; und er wolle die Verräter
Schon auszufinden wissen; sich schon rächen.

SALADIN.
Und nun, der Richter? – Mich verlangt zu hören,
Was du den Richter sagen lässest. Sprich!

NATHAN.
Der Richter sprach: wenn ihr mir nun den Vater
Nicht bald zur Stelle schafft, so weis' ich euch
Von meinem Stuhle. Denkt ihr, daß ich Rätsel
Zu lösen da bin? Oder harret ihr,
Bis daß der rechte Ring den Mund eröffne? –
Doch halt! Ich höre ja, der rechte Ring
Besitzt die Wunderkraft beliebt zu machen;
Vor Gott und Menschen angenehm. Das muß
Entscheiden! Denn die falschen Ringe werden
Doch das nicht können! – Nun; wen lieben zwei
Von euch am meisten? – Macht, sagt an! Ihr
schweigt?
Die Ringe wirken nur zurück? und nicht
Nach außen? Jeder liebt sich selber nur
Am meisten? – O so seid ihr alle drei
Betrogene Betrieger! Eure Ringe
Sind alle drei nicht echt. Der echte Ring
Vermutlich ging verloren. Den Verlust
Zu bergen, zu ersetzen, ließ der Vater
Die drei für einen machen.

SALADIN. Herrlich! herrlich!

NATHAN. Und also; fuhr der Richter fort, wenn ihr

Nicht meinen Rat, statt meines Spruches, wollt:
Geht nur! – Mein Rat ist aber der: ihr nehmt
Die Sache völlig wie sie liegt. Hat von
Euch jeder seinen Ring von seinem Vater:
So glaube jeder sicher seinen Ring
Den echten. – Möglich; daß der Vater nun
Die Tyrannei des Einen Rings nicht länger
In seinem Hause dulden wollen! – Und gewiß;
Daß er euch alle drei geliebt, und gleich
Geliebt: indem er zwei nicht drücken mögen,
Um einen zu begünstigen. – Wohlan!
Es eifre jeder seiner unbestochnen
Von Vorurteilen freien Liebe nach!
Es strebe von euch jeder um die Wette,
Die Kraft des Steins in seinem Ring' an Tag
Zu legen! komme dieser Kraft mit Sanftmut,
Mit herzlicher Verträglichkeit, mit Wohltun,
Mit innigster Ergebenheit in Gott,
Zu Hülf'! Und wenn sich dann der Steine Kräfte
Bei euern Kindes-Kindeskindern äußern:
So lad' ich über tausend tausend Jahre,
Sie wiederum vor diesen Stuhl. Da wird
Ein weisrer Mann auf diesem Stuhle sitzen,
Als ich; und sprechen. Geht! – So sagte der
Bescheidne Richter.

SALADIN. Gott! Gott!

NATHAN. Saladin,
Wenn du dich fühlest, dieser weisere
Versprochne Mann zu sein: …

SALADIN *(der auf ihn zustürzt, und seine Hand ergreift, die er bis zu Ende nicht wieder fahren läßt).*
Ich Staub? Ich Nichts?
O Gott!

NATHAN. Was ist dir, Sultan?
SALADIN. Nathan, lieber Nathan! –
Die tausend tausend Jahre deines Richters
Sind noch nicht um. – Sein Richterstuhl ist nicht
Der meine. – Geh! – Geh! – Aber sei mein Freund.
NATHAN. Und weiter hätte Saladin mir nichts
Zu sagen?
SALADIN. Nichts.
NATHAN. Nichts?
SALADIN. Gar nichts. – Und warum?
NATHAN. Ich hätte noch Gelegenheit gewünscht,
Dir eine Bitte vorzutragen.
SALADIN. Brauchts
Gelegenheit zu einer Bitte? – Rede!
NATHAN.
Ich komm' von einer weiten Reis', auf welcher
Ich Schulden eingetrieben. – Fast hab' ich
Des baren Gelds zu viel. – Die Zeit beginnt
Bedenklich wiederum zu werden; – und
Ich weiß nicht recht, wo sicher damit hin. –
Da dacht ich, ob nicht du vielleicht, – weil doch
Ein naher Krieg des Geldes immer mehr
Erfodert, – etwas brauchen könntest.
SALADIN *(ihm steif in die Augen sehend).*
Nathan! –
Ich will nicht fragen, ob Al-Hafi schon
Bei dir gewesen; – will nicht untersuchen,
Ob dich nicht sonst ein Argwohn treibt, mir dieses
Erbieten freier Dings zu tun: ...
NATHAN. Ein Argwohn?
SALADIN.
Ich bin ihn wert. – Verzeih mir! – denn was hilfts?
Ich muß dir nur gestehen, – daß ich im
Begriffe war –

NATHAN. Doch nicht, das nämliche
An mich zu suchen?

SALADIN. Allerdings.

NATHAN. So wär'
Uns beiden ja geholfen! – Daß ich aber
Dir alle meine Barschaft nicht kann schicken,
Das macht der junge Tempelherr. – Du kennst
Ihn ja. – Ihm hab' ich eine große Post
Vorher noch zu bezahlen.

SALADIN. Tempelherr?
Du wirst doch meine schlimmsten Feinde nicht
Mit deinem Geld' auch unterstützen wollen?

NATHAN. Ich spreche von dem einen nur, dem du
Das Leben spartest ...

SALADIN. Ah! woran erinnerst
Du mich! – Hab' ich doch diesen Jüngling ganz
Vergessen! – Kennst du ihn? – Wo ist er?

NATHAN. Wie?
So weißt du nicht, wie viel von deiner Gnade
Für ihn, durch ihn auf mich geflossen? Er,
Er mit Gefahr des neu erhaltnen Lebens,
Hat meine Tochter aus dem Feu'r gerettet.

SALADIN. Er? Hat er das? – Ha! darnach sah er aus.
Das hätte traun mein Bruder auch getan,
Dem er so ähnelt! – Ist er denn noch hier?
So bring ihn her! – Ich habe meiner Schwester
Von diesem ihren Bruder, den sie nicht
Gekannt, so viel erzählet, daß ich sie
Sein Ebenbild doch auch muß sehen lassen! –
Geh, hol ihn! – Wie aus Einer guten Tat,
Gebar sie auch schon bloße Leidenschaft,
Doch so viel andre gute Taten fließen!
Geh, hol ihn!

NATHAN *(indem er Saladins Hand fahren läßt).*
Augenblicks! Und bei dem andern
Bleibt es doch auch? *(Ab)*
SALADIN. Ah! daß ich meine Schwester
Nicht horchen lassen! – Zu ihr! zu ihr! – Denn
Wie soll ich alles das ihr nun erzählen?
(Ab von der andern Seite)

IV
Vermischte Gedankensplitter
(Der Gelehrte und Kritiker)

Wie denkt man denn, daß ein Dichter aussieht? Nicht wie andere Menschen? Und wie schwach muß der Eindruck sein, den das Werk gemacht hat, wenn man in eben dem Augenblicke auf nichts begieriger ist, als die Figur des Meisters dagegen zu halten? Das wahre Meisterstück, dünkt mich, erfüllet uns so ganz mit sich selbst, daß wir des Urhebers darüber vergessen; daß wir es nicht als das Produkt eines einzeln Wesens, sondern der allgemeinen Natur betrachten.

Unsere schönen Geister sind selten Gelehrte, und unsere Gelehrte selten schöne Geister. Jene wollen gar nicht lesen, gar nicht nachschlagen, gar nicht sammlen; kurz, gar nicht arbeiten: und diese wollen nichts, als das. Jenen mangelt es am Stoffe, und diesen an der Geschicklichkeit ihrem Stoffe eine Gestalt zu erteilen.

Die Gabe sich widersprechen zu lassen, ist wohl überhaupt eine Gabe, die unter den Gelehrten nur die Toten haben. Nun will ich sie eben nicht für so wichtig ausgeben, daß man, um sie zu besitzen, gestorben zu sein wünschen sollte: denn um diesen Preis sind vielleicht auch größre Vollkommenheiten zu teuer. Ich will nur sagen, daß es sehr gut sein würde, wann auch noch lebende Gelehrte, immer im voraus, ein wenig tot zu sein lernen wollten. Endlich müssen sie doch eine Nachwelt zurücklassen, die alles Zufällige von ihrem Ruhme absondert, und die keine Ehrerbietigkeit zurückhalten wird, über ihre Fehler zu lachen. Warum wollen sie also nicht schon itzt diese Nachwelt ertragen lernen, die sich hier und da in einem ankündiget, dem es gleichviel ist, ob sie ihn für neidisch oder für ungesittet halten?

Was geht uns das Privatleben eines Schriftstellers an? Ich halte nichts davon, aus diesem die Erläuterungen seiner Werke herzuholen.

Wir lachen, wenn wir hören, daß bei den Alten auch die Künste bürgerlichen Gesetzen unterworfen gewesen. Aber wir haben nicht immer Recht, wenn wir lachen. Unstreitig müssen sich die Gesetze über die Wissenschaften keine Gewalt anmaßen; denn der Endzweck der Wissenschaften ist Wahrheit. Wahrheit ist der Seele notwendig; und es wird Tyrannei, ihr in Befriedigung dieses wesentlichen Bedürfnisses den geringsten Zwang anzutun. Der Endzweck der Künste hingegen ist Vergnügen; und das Vergnügen ist entbehrlich. Also darf es allerdings von dem Gesetzgeber abhangen, welche Art von Vergnügen, und in welchem Maße er jede Art desselben verstatten will.

Überhaupt aber glaube ich, daß der Name eines *wahren Geschichtschreibers* nur demjenigen zukömmt, der die Geschichte seiner Zeiten und seines Landes beschreibet. Denn nur der kann selbst als Zeuge auftreten, und darf hoffen, auch von der Nachwelt als ein solcher geschätzt zu werden, wenn alle andere, die sich nur als Abhörer der eigentlichen Zeugen erweisen, nach wenig Jahren, von ihres gleichen gewiß verdrungen sind.

Die persönlichen Verhältnisse der Schriftsteller gegen einander interessieren nur kaum den kleinsten Teil der zeitverwandten Publici. Welcher wünscht, daß sein Buch auch bei den Nachkommen nicht ganz vergessen sei, – und welcher sollte es nicht wünschen? – muß über nichts streiten, was ihn nur selbst angeht.

Was meine Art zu streiten anbelangt, nach welcher ich nicht sowohl den Verstand meiner Leser durch Gründe zu überzeugen, sondern mich ihrer Phantasie durch allerhand unerwartete Bilder und Anspielungen zu bemächtigen suchen soll: so habe ich mich schon zur Hälfte darüber erklärt. Ich suche allerdings, durch die Phantasie mit, auf den Verstand meiner Leser zu wirken. Ich halte es nicht allein für nützlich, sondern auch für notwendig, Gründe in Bilder zu kleiden; und alle die Nebenbegriffe, welche die einen oder die andern erwecken, durch Anspielungen zu bezeichnen. Wer hiervon nichts weiß und verstehet, müßte schlechterdings kein Schriftsteller werden wollen; denn alle gute Schriftsteller sind es nur auf diesem Wege geworden.

Die Sprache kann alles ausdrücken, was wir deutlich denken; daß sie aber alle *Nüancen* der Empfindung sollte ausdrücken können, das ist eben so unmöglich, als es unnötig sein würde.

Tot sein, hat nichts Schreckliches; und in so fern Sterben nichts als der Schritt zum Totsein ist, kann auch das Sterben nichts Schreckliches haben. Nur so und so sterben, eben itzt, in dieser Verfassung, nach dieses oder jenes Willen, mit Schimpf und Marter sterben: kann schrecklich werden, und wird schrecklich. Aber ist es sodann das Sterben, ist es der Tod, welcher das Schrekken verursachte? Nichts weniger; der Tod ist von allen diesen Schrecken das erwünschte Ende, und es ist nur der Armut der Sprache zuzurechnen, wenn sie beide diese Zustände, den Zustand, welcher unvermeidlich in den Tod führet, und den Zustand des Todes selbst, mit einem und eben demselben Worte benennet.

... die Bedeutung der Wörter muß nicht nach ihrer Ableitung, sondern nach ihrem Gebrauche bestimmt werden.

... Sie wissen wohl, mein Herr, was die Regeln in England gelten. Der Brite hält sie für eine Sklaverei und sieht diejenigen, welche sich ihnen unterwerfen, mit eben der Verachtung und mit eben dem Mitleid an, mit welchem er alle Völker, die sich eine Ehre daraus machen, Königen zu gehorchen, betrachtet, wenn auch diese Könige schon *Friedriche* sind.

Ihre Blätter können gründlich und schön sein. Muß ich sie aber deswegen lesen? Ich müßte viel Zeit auf das Studieren zu wenden haben, wenn ich alle Schriften von dieser Gattung lesen wollte. Was ich lesen soll, muß mich vergnügen können.

Hoffentlich bin ich der Meinung nicht allein, daß es auf alle Weise erlaubt ist, ein von Obrigkeits wegen, auch aus den triftigsten Gründen, verbranntes Buch wieder herzustellen. Denn ein solches Verbrennen hat die Absicht nicht, das Buch gänzlich zu vernichten: es soll diese Absicht nicht haben; es kann sie nicht haben. Es soll und kann allein ein öffentlicher Beweis der obrigkeitlichen Mißbilligung, eine Art von Strafe gegen den Urheber sein. Was *einmal* gedruckt ist, gehört der ganzen Welt auf ewige Zeiten. Niemand hat das Recht, es zu vertilgen. Wenn er es tut, beleidiget er die Welt unendlich mehr, als sie der Verfasser des vertilgten Buches, von welcher Art es auch immer sei, kann beleidiget haben. Es stürzet sie vorsetzlich in Ungewißheit und Zweifel; er beraubt sie des einzigen Mittels, selbst zu sehen, selbst zu urteilen; er verlangt, auf eine eben so vermessene als lächerliche Art, daß sie ihm blindlings glauben, ihn blindlings für einen eben so ehrlichen als einsichtsvollen Mann halten soll.

Die Beredsamkeit ist die Kunst einem andern seine Gedanken so mitzuteilen, daß sie einen verlangten Eindruck auf ihn machen.

Man sieht also leicht, daß es dabei auf die Gedanken, und auf die Mitteilung derselben ankomme.

Die Kunst, wie man seine Gedanken dem Eindruck, den man auf einen andern machen will, gemäß ordnen soll, will ich die *Geistige Beredsamkeit* nennen.

Die Kunst, diese so geordneten Gedanken dem andern so mitzuteilen, daß jener Eindruck befördert wird, will ich die *körperliche Beredsamkeit* nennen.

Und zwar deswegen, weil diese Mitteilung vermittelst des Körpers geschehen muß. Sie kann aber nicht anders vermittelst des Körpers geschehen, als durch gewisse Modifikationen desselben, welche in des andern Sinne fallen etc.

... Gott weiß, ob die guten Schwäbischen Kaiser um die damalige deutsche Poesie im geringsten mehr Verdienst haben, als der itzige König von Preußen um die gegenwärtige. Gleichwohl will ich nicht darauf schwören, daß nicht einmal ein Schmeichler kommen sollte, welcher die gegenwärtige Epoche der deutschen Literatur, die Epoche Friedrichs des Großen, zu nennen für gut findet!

Ungerecht wird die Nachwelt nie sein. Anfangs zwar pflanzt sie Lob und Tadel fort, wie sie es bekömmt; nach und nach aber bringt sie beides auf ihren rechten Punkt. Bei Lebzeiten, und ein halb Jahrhundert nach dem Tode, für einen großen Geist gehalten werden, ist ein schlechter Beweis, daß man es ist; durch alle Jahrhunderte aber hindurch dafür gehalten werden, ist ein unwidersprechlicher. Eben das gilt bei dem Gegenteile. Ein Schriftsteller wird von seinen Zeitgenossen und von dieser ihren Enkeln nicht gelesen; ein Unglück, aber kein Beweis wider seine Güte; nur wann auch der Enkel Enkel nie Lust bekommen, ihn zu lesen, alsdann ist es gewiß, daß er es nie verdient hat, gelesen zu werden.

In der Welt der Erdichtungen wird ein Genie noch immer ein Land finden, das seinen Entdeckungen aufbehalten zu sein schien.

Nicht aus dem, was sie sind, laßt uns beurteilen, was sie schreiben: sondern aus dem, was sie schreiben, laßt uns urteilen, was sie sein sollten.

Wenn ich Kunstrichter wäre, wenn ich mir getraute, das Kunstrichterschild aushängen zu können: so würde meine Tonleiter diese sein. Gelinde und schmeichelnd gegen den Anfänger; mit Bewunderung zweifelnd, mit Zweifel bewundernd gegen den Meister; abschreckend und positiv gegen den Stümper; höhnisch gegen den Prahler; und so bitter als möglich, gegen den Kabalenmacher.

Der Kunstrichter, der gegen alle nur einen Ton hat, hätte besser gar keinen. Und besonders der, der gegen alle nur höflich ist, ist im Grunde gegen die er höflich sein könnte, grob.

Nicht jeder Kunstrichter ist Genie: aber jedes Genie ist ein geborner Kunstrichter. Es hat die Probe aller Regeln in sich. Es begreift und behält und befolgt nur die, die ihm seine Empfindung in Worten ausdrücken.

Man ist nicht zu fein, sondern zu stumpf geworden, wenn man an einer Gattung intellektueller Schönheit deswegen kein Vergnügen findet, weil sie nicht gerade die vornehmste und interessanteste ist. Alles ist gut, wenn es an seiner Stelle ist; aber von allen Arten des Geschmacks ist der einseitige der schlechteste. Man ist sicherlich weder gesund noch klug, wenn man seine Schöne nicht anders als in der Kleidung einer unschuldigen Schäferin lieben kann.

Wenn werden die schlechten Skribenten einmal aufhören zu glauben, daß notwendig persönliche Feindschaft zum Grunde liegen müsse, wenn sie einer von ihren betrogenen Lesern vor den Richtstuhl der Kritik fordert?

Ich selbst kann mir keine angenehmere Beschäftigung machen, als die Namen berühmter Männer zu mustern, ihr Recht auf die Ewigkeit zu untersuchen, unverdiente Flecken ihnen abzuwischen, die falschen Verkleisterungen ihrer Schwächen aufzulösen, kurz alles das im moralischen Verstande zu tun, was derjenige, dem die Aufsicht über einen Bildersaal anvertrauet ist, physisch verrichtet.

Aber was man von dem Homer gesagt hat, es lasse sich dem Herkules eher seine Keule, als ihm ein Vers abringen, das läßt sich vollkommen auch vom Shakespeare sagen. Auf die geringste von seinen Schönheiten ist ein Stempel gedruckt, welcher gleich der ganzen Welt zuruft: ich bin Shakespeare! Und wehe der fremden Schönheit, die das Herz hat, sich neben ihr zu stellen!

Shakespeare will studiert, nicht geplündert sein. Haben wir Genie, so muß uns Shakespeare das sein, was dem Landschaftsmaler die Camera obscura ist: er sehe fleißig hinein, um zu lernen, wie sich die Natur in allen Fällen auf *eine* Fläche projektieret; aber er borge nichts daraus.

Die Jahre der Jugend sind die Jahre nicht, von welchen wir tragische Meisterstücke erwarten dürfen. Alles was auch der beste Kopf in dieser Gattung, unter dem dreißigsten Jahre, leisten kann, sind Versuche. Je mehr man versucht, je mehr verdirbt man sich oft. Man fange nicht eher an zu arbeiten, als bis man seiner Sache zum größten Teile gewiß ist! Und wenn kann man dieses sein? Wenn man die Natur, wenn man die Alten gnugsam studieret hat. Das aber sind lange Lehrjahre! Gnug, daß die Jahre der Meisterschaft dafür auch desto länger dauern. Sophokles schrieb Trauerspiele bis in die achtzigsten Jahre. Und wie gut ist es einem Tragicus, wenn er das wilde Feuer, die jugendliche Fertigkeit verloren hat, die so oft Genie heißen, und es so selten sind.

Lessing
Gemälde von Anton Graff, 1771

Wenn es also wahr ist, daß die ganze Kunst des tragischen Dichters auf die sichere Erregung und Dauer des einzigen Mitleidens geht, so sage ich nunmehr, die Bestimmung der Tragödie ist diese: sie soll *unsre Fähigkeit, Mitleid zu fühlen*, erweitern. Sie soll uns nicht bloß lehren, gegen diesen oder jenen Unglücklichen Mitleid zu fühlen, sondern sie soll uns weit fühlbar machen, daß uns der Unglückliche zu allen Zeiten, und unter allen Gestalten, rühren und für sich einnehmen muß. Und nun berufe ich mich auf einen Satz, den Ihnen Herr Moses vorläufig demonstrieren mag, wenn Sie, Ihrem eignen Gefühl zum Trotz, daran zweifeln wollen. *Der mitleidigste Mensch ist der beste Mensch*, zu allen gesellschaftlichen Tugenden, zu allen Arten der Großmut der aufgelegteste. Wer uns also mitleidig macht, macht uns besser und tugendhafter, und das Trauerspiel, das jenes tut, tut auch dieses, oder – es tut jenes, um dieses tun zu können. Bitten Sie es dem Aristoteles ab, oder widerlegen Sie mich.

Auf gleiche Weise verfahre ich mit der Komödie. Sie soll uns zur Fertigkeit verhelfen, alle Arten des Lächerlichen leicht wahrzunehmen. Wer diese Fertigkeit besitzt, wird in seinem Betragen alle Arten des Lächerlichen zu vermeiden suchen, und eben dadurch der wohlgezogenste und gesittetste Mensch werden. Und so ist auch die Nützlichkeit der Komödie gerettet.

Beider Nutzen, des Trauerspiels sowohl als des Lustspiels, ist von dem Vergnügen unzertrennlich; denn die ganze Hälfte des Mitleids und des Lachens ist Vergnügen, und es ist großer Vorteil für den dramatischen Dichter, daß er weder nützlich, noch angenehm, eines ohne das andere sein kann.

Alle Betrübnis, welche von Tränen begleitet wird, ist eine Betrübnis über ein verlornes Gut; kein anderer Schmerz, keine andre unangenehme Empfindung wird von Tränen begleitet. Nun findet sich bei dem verlornen Gute nicht allein die Idee des Verlusts, sondern auch die Idee des Guts, und beide, diese angenehme mit jener unangenehmen, sind unzertrennlich verknüpft. Wie, wenn diese Verknüpfung überall Statt hätte, wo das Weinen vorkommt? Bei den Tränen des Mitleids ist es offenbar. Bei den Tränen der Freude trifft es auch ein: denn man weint nur da vor Freude, wenn man vorhero elend gewesen, und sich nun auf einmal beglückt sieht; niemals aber, wenn man vorher nicht elend gewesen. Die einzigen sogenannten Bußtränen machen mir zu schaffen, aber ich sorge sehr, die Erinnerung der Annehmlichkeit der Sünde, die man jetzt erst für strafbar zu erkennen anfängt, hat ihren guten Teil daran; es müßte denn sein, daß die Bußtränen nichts anders als eine Art von Freudentränen wären, da man sein Elend, den Weg des Lasters gewandelt zu sein, und seine Glückseligkeit, den Weg der Tugend wieder anzutreten, zugleich empfände.

Ich bitte Sie nur noch, auf die bewunderungswürdige Harmonie Acht zu haben, die ich nach meiner Erklärung des Weinens, hier zwischen den respondierenden Veränderungen des Körpers und der Seele zu sehen glaube. Man kann lachen, daß die Tränen in die Augen treten; das körperliche Weinen ist also gleichsam der höchste Grad des körperlichen Lachens. Und was braucht es bei dem Lachen in der Seele mehr, wenn es zum Weinen werden soll, als daß die Lust und Unlust, aus deren Vermischung das Lachen entsteht, beide zum höchsten Grade anwachsen, und eben so vermischt bleiben. Z. E. der Kopf eines Kindes in einer großen Staatsperücke ist ein lächerlicher Gegenstand; und der große Staatsmann, der kindisch geworden ist, ein beweinenswürdiger.

Sie haben einen zu richtigen Begriff von der menschlichen Natur, als daß Sie nicht alle unempfindliche Helden für schöne Ungeheuer, für mehr als Menschen, aber gar nicht für gute Menschen halten sollten. Sie bewundern sie also mit Recht; aber eben deswegen, weil Sie sie bewundern, werden Sie ihnen nicht nacheifern. Mir wenigstens ist es niemals in den Sinn gekommen, einem Cato oder Essex an Halsstarrigkeit gleich zu werden, so sehr ich sie auch wegen dieser Halsstarrigkeit bewundere, die ich ganz und gar verachten und verdammen würde, wenn es nicht eine Halsstarrigkeit der Tugend zu sein schiene.

Ich werde also der Bewunderung nichts abbitten, sondern ich verlange, daß Sie es der Tugend abbitten sollen, sie zu einer Tochter der Bewunderung gemacht zu haben. Es ist wahr, sie ist sehr oft die Tochter der Nacheiferung, und die Nacheiferung ist eine natürliche Folge der anschauenden Erkenntnis einer guten Eigenschaft. Aber muß es eine bewundernswürdige Eigenschaft sein? Nichts weniger. Es muß eine gute Eigenschaft sein, deren ich den Menschen überhaupt, und also auch mich, fähig halte. Und diese Eigenschaften schließe ich so wenig aus dem Trauerspiele aus, daß vielmehr, nach meiner Meinung, gar kein Trauerspiel ohne sie besteht, weil man ohne sie kein Mitleid erregen kann. Ich will nur diejenigen großen Eigenschaften ausgeschlossen haben, die wir unter dem allgemeinen

Namen des Heroismus begreifen können, weil jede derselben mit Unempfindlichkeit verbunden ist, und Unempfindlichkeit in dem Gegenstande des Mitleids, mein Mitleiden schwächt.

Die Bewunderung in dem allgemeinen Verstande, in welchem es nichts ist, als das sonderliche Wohlgefallen an einer seltnen Vollkommenheit, bessert vermittelst der Nacheiferung, und die Nacheiferung setzt eine deutliche Erkenntnis der Vollkommenheit, welcher ich nacheifern will, voraus. Wie viele haben diese Erkenntnis? Und wo diese nicht ist, bleibt die Bewunderung nicht unfruchtbar? Das Mitleiden hingegen bessert unmittelbar; bessert, ohne daß wir selbst etwas dazu beitragen dürfen; bessert den Mann von Verstande sowohl als den Dummkopf.

So wie in dem Heldengedichte die Bewunderung das Hauptwerk ist, alle andere Affekten, das Mitleiden besonders, ihr untergeordnet sind: so sei auch in dem Trauerspiele das Mitleiden das Hauptwerk, und jeder andere Affekt, die Bewunderung besonders, sei ihm nur untergeordnet, das ist, diene zu nichts, als das Mitleiden erregen zu helfen. Der Heldendichter läßt seinen Helden unglücklich sein, um seine Vollkommenheiten ins Licht zu setzen. Der Tragödienschreiber setzt seines Helden Vollkommenheiten ins Licht, um uns sein Unglück desto schmerzlicher zu machen.

Es gibt gewisse körperliche Fähigkeiten, gewisse Grade der körperlichen Kräfte, die wir nicht in unsrer willkürlichen Gewalt haben, ob sie gleich wirklich in dem Körper vorhanden sind. Ein Rasender, zum Exempel, ist ungleich stärker, als er bei gesundem Verstande war; auch die Furcht, der Zorn, die Verzweiflung und andre Affekten mehr, erwecken in uns einen größern Grad der Stärke, der uns nicht eher zu Gebote steht, als bis wir uns in diesen oder jenen Affekt gesetzt haben.

Meine zweite vorläufige Anmerkung ist diese. Alle körperliche Geschicklichkeiten werden durch Hülfe der Bewunderung gelernt; wenigstens das *Feine* von allen körperlichen Geschicklichkeiten. Nehmen Sie einen Luftspringer. Von den wenigsten Sprüngen kann er seinen Schülern den eigentlichen Mechanismus zeigen; er kann oft weiter nichts sagen als: sieh nur, sieh nur, wie ich es mache! das ist, bewunderte mich nur recht, und versuch es alsdann, so wird es von selbst gehen; und je vollkommener der Meister den Sprung vormacht, je mehr er die Bewunderung seines Schülers durch diese Vollkommenheit reizt, desto leichter wird diesem die Nachahmung werden.

Mich dünkt auch immer, daß man in dem dramatischen Fache eher mit einer Tragödie als mit einer Komödie den Versuch machen sollte. Es ist leichter, zum Mitleiden zu bewegen, als lachen zu machen. Man lernt eher, was Glück und Unglück, als was sittlich und unsittlich, anständig und lächerlich ist.

Wenn ich die Ohrfeige aus einer Gattung des Drama verbannt wissen möchte, so wäre es aus der Komödie. Denn was für Folgen kann sie da haben? Traurige? die sind über ihrer Sphäre. Lächerliche? die sind unter ihr, und gehören dem Possenspiele. Gar keine? so verlohnte es nicht der Mühe, sie geben zu lassen. Wer sie gibt, wird nichts als pöbelhafte Hitze, und wer sie bekömmt, nichts als knechtische Kleinmut verraten. Sie verbleibt also den beiden Extremis, der Tragödie und dem Possenspiele; die mehrere dergleichen Dinge gemein haben, über die wir entweder spotten oder zittern wollen.

Der tragische Dichter sollte alles vermeiden, was die Zuschauer an ihre Illusion erinnern kann; denn sobald sie daran erinnert sind, so ist sie weg.

Die Namen von Fürsten und Helden können einem Stücke Pomp und Majestät geben; aber zur Rührung tragen sie nichts bei. Das Unglück derjenigen, deren Umstände den unsrigen am nächsten kommen, muß natürlicher Weise am tiefsten in unsere Seele dringen; und wenn wir mit Königen Mitleiden haben, so haben wir es mit ihnen als mit Menschen, und nicht als mit Königen. Macht ihr Stand schon öfters ihre Unfälle wichtiger, so macht er sie darum nicht interessanter. Immerhin mögen ganze Völker darein verwickelt werden; unsere Sympathie erfodert einen einzeln Gegenstand, und ein Staat ist ein viel zu abstrakter Begriff für unsere Empfindungen.

Der Mensch ward zum Tun und nicht zum Vernünfteln erschaffen. Aber eben deswegen, weil er nicht dazu erschaffen ward, hängt er diesem mehr als jenem nach. Seine Bosheit unternimmt allezeit das, was er nicht soll, und seine Verwegenheit allezeit das, was er nicht kann. Er, der Mensch, sollte sich Schranken setzen lassen?

Wenn man einmal, leider! dienen muß, so, dächte ich, ist es wohl am vernünftigsten, man dient da, wo man bei seinem Dienen das größte Vergnügen haben kann.

Wer richtig raisonniert, erfindet auch: und wer erfinden will, muß raisonnieren können. Nur die glauben, daß sich das eine von dem andern trennen lasse, die zu keinem von beiden aufgelegt sind.

Aber so artig, wie man will: die Höflichkeit ist keine Pflicht: und nicht höflich sein, ist noch lange nicht, grob sein. Hingegen, zum Besten der Mehrern, freimütig sein, ist Pflicht; sogar es mit Gefahr sein, darüber für ungesittet und bösartig gehalten zu werden, ist Pflicht.

DAJA. ...
Die Menschen sind nicht immer, wie sie scheinen.
TEMPELHERR. Doch selten etwas Bessers.

Daß ein natürliches Kind sich vergebens nach seinen Ältern, vergebens nach Personen umsehen kann, mit welchen es die nähern Bande des Bluts verknüpfen: das ist sehr begreiflich; das kann unter zehnen neunen begegnen. Aber daß es ganze dreißig Jahre in der Welt herum irren könne, ohne die Zärtlichkeit irgend eines Menschen empfunden zu haben, ohne irgend einen Menschen angetroffen zu haben, der die seinige gesucht hätte: das, sollte ich fast sagen, ist schlechterdings unmöglich. Oder, wenn es möglich wäre, welche Menge ganz besonderer Umstände müßten von beiden Seiten, von Seiten der Welt und von Seiten dieses so lange insulierten Wesens, zusammen gekommen sein, diese traurige Möglichkeit wirklich zu machen? Jahrhunderte auf Jahrhunderte werden verfließen, ehe sie wieder einmal wirklich wird. Wolle der Himmel nicht, daß ich mir je das menschliche Geschlecht anders vorstelle! Lieber wünschte ich sonst, ein Bär geboren zu sein, als ein Mensch. Nein, kein Mensch kann unter Menschen so lange verlassen sein! Man schleidere ihn hin, wohin man will: wenn er noch unter Menschen fällt, so fällt er unter Wesen, die, ehe er sich umgesehen, wo er ist, auf allen Seiten bereit stehen, sich an ihn anzuketten. Sind es nicht vornehme, so sind es geringe! Sind es nicht glückliche, so sind es unglückliche Menschen! Menschen sind es doch immer. So wie ein Tropfen nur die Fläche des Wassers berühren darf, um von ihm aufgenommen zu werden und ganz in ihm zu verfließen: das Wasser heiße, wie es will, Lache oder Quelle, Strom oder See, Belt oder Ozean.

Gleichheit ist allein das feste Band der Liebe.

Denn man lieset nichts begieriger, als was man, nur nächst Wenigen, lesen zu können glaubt. Ein Manuskript ist ein Wort ins Ohr; ein gedrucktes Buch ist eine Jedermannssage: und es ist in der Natur, daß das Wort ins Ohr mehr Aufmerksamkeit macht, als die Jedermannssage.

... Ja wohl: das Blut, das Blut allein
Macht lange noch den Vater nicht! macht kaum
Den Vater eines Tieres! gibt zum höchsten
Das erste Recht, sich diesen Namen zu
Erwerben!

Dann und wann gehört es unter die unerkannten Segen der Ehe, wenn sie nicht gesegnet ist.

Ein Alter ist ohne Zweifel zu tadeln, wenn er die Bande, die ihn noch mit der Welt verbinden, so fest wieder zuziehet. Die endliche Trennung wird desto schmerzlicher.

Wer überlegt, der sucht
Bewegungsgründe, nicht zu dürfen. Wer
Sich Knall und Fall, ihm selbst zu leben, nicht
Entschließen kann, der lebet andrer Sklav
Auf immer.

Nichts verächtlicher, als ein brausender Jünglingskopf mit grauen Haaren!

... Begreifst du aber,
Wie viel *andächtig schwärmen* leichter, als
Gut handeln ist? wie gern der schlaffste Mensch
Andächtig schwärmt, um nur, – ist er zu Zeiten
Sich schon der Absicht deutlich nicht bewußt –
Um nur gut handeln nicht zu dürfen?

Ich wünschte, daß ich mir, vom Anfange an, alle Lobsprüche und alle Tadel und Schmähungen, die ich und meine Schriften im Druck erhalten habe, jede in ein besonders Buch zusammengetragen hätte: um das eine zu lesen, wenn ich mich zu übermütig, und das andre, wenn ich mich zu niedergeschlagen fühle.

Das Herz nimmt keine Gründe an, und will in diesem, wie in andern Stücken, seine Unabhängigkeit von dem Verstande behaupten. Man kann es tyrannisieren, aber nicht zwingen.

... wer über gewisse Dinge den Verstand nicht verlieret, der hat keinen zu verlieren.

Ein weiser Mann ist gegen alles gleichgültig, gegen Lob und Tadel, gegen Schmeicheleien und Scheltworte.

Sollte sich der Mensch nicht einer Freiheit schämen, die es verlangt, daß er Menschen zu Sklaven habe?

O die Tugend, die keinen andern Grund hat, als ein *was werden die Leute sagen*, die verdient diesen Titel sehr wenig.

So wie Leute, die sich den Magen überladen haben, nicht eigentlich mehr wissen, was ihnen schmeckt, und was ihnen nicht schmeckt: so geht es auch den Leuten, die sich das Herz überladen haben.

Aber wie dem, der in einer schnellen Kreisbewegung drehend geworden, auch da noch, wenn er schon wieder still sitzt, die äußern Gegenstände mit ihm herum zu gehen scheinen: so wird auch das Herz, das zu heftig erschüttert worden, nicht auf einmal wieder ruhig. Es bleibt eine zitternde Bebung oft noch lange zurück, die wir ihrer eignen Abschwächung überlassen müssen.

... nichts zieht den Undank so unausbleiblich nach sich, als Gefälligkeiten, für die kein Dank zu groß wäre.

Wie wenig man sieht, wenn man nur das sieht, was man sehen will! wenn man für nichts Augen hat, als für *seinen* Kram! Und wie bekannt etwas sein kann; und zugleich wie unbekannt!

Lessing und Matthias Claudius
auf der Galerie des Hamburger Weinlokals »Baumhaus«
Holzschnitt von Otto Speckter, 1868

Wer aus den Büchern nichts mehr lernt, als was in den Büchern steht, der hat die Bücher nicht halb genutzt. Wen die Bücher nicht fähig machen, daß er auch das verstehen und beurteilen lernt, was sie nicht enthalten; wessen Verstand die Bücher nicht überhaupt schärfen und aufklären, der wäre schwerlich viel schlimmer dran, wenn er auch gar keine Bücher gelesen hätte.

Es ist der Fehler des Jünglings, sich immer für glücklicher, oder unglücklicher zu halten, als er ist.

Ich weiß, wie schwer es ist, einen Freund zu finden. Und will man ihn schon des ersten Fehlers wegen verlassen, so wird man Zeit Lebens suchen, und keinen erhalten.

Ich weiß es, es ist die Pflicht eines Freundes, dem andern zu verzeihen. Doch ist es auch des andern Pflicht, ihm so wenig Gelegenheit dazu zu geben, als ihm nur möglich ist.

Wenn Sie das meinen, so sagen Sie mir doch, ist denn nicht das Vergeben für ein gutes Herz ein Vergnügen? Ich bin in meinem Leben so glücklich nicht gewesen, daß ich dieses Vergnügen oft empfunden hätte.

Der Langsamste, der sein Ziel nur nicht aus den Augen verlieret, geht noch immer geschwinder, als der ohne Ziel herum irret.

Der aus Büchern erworbne Reichtum fremder Erfahrung heißt Gelehrsamkeit. Eigne Erfahrung ist Weisheit. Das kleinste Kapitel von dieser, ist mehr wert, als Millionen von jener.

Über die Bekümmerungen um ein künftiges Leben verlieren Toren das gegenwärtige. Warum kann man ein künftiges Leben nicht eben so ruhig abwarten, als einen künftigen Tag?

Das große Geheimnis die menschliche Seele durch Übung vollkommen zu machen – (Herr Wieland hat es nur dem Namen nach gekannt) – bestehet einzig darin, daß man sie in steter Bemühung erhalte, durch eigenes Nachdenken auf die Wahrheit zu kommen. Die Triebfedern dazu sind Ehrgeiz und Neubegierde; und die Belohnung ist das Vergnügen an der Erkenntnis der Wahrheit. Bringt man aber der Jugend die historische Kenntnis gleich Anfangs bei, so schläfert man ihre Gemüter ein; die Neubegierde wird zu frühzeitig gestillt, und der Weg, durch eignes Nachdenken Wahrheiten zu finden, wird auf einmal verschlossen. Wir sind von Natur weit begieriger, das *Wie*, als das *Warum* zu wissen. Hat man uns nun unglücklicher Weise gewöhnt, diese beiden Arten der Erkenntnis zu trennen; hat man uns nicht angeführt, bei jeder Begebenheit auf die Ursache zu denken, jede Ursache gegen die Wirkung abzumessen, und aus dem richtigen Verhältnis derselben auf die Wahrheit zu schließen: so werden wir sehr spät aus dem Schlummer der Gleichgültigkeit erwachen, in welchen man uns eingewieget hat. Die Wahrheiten selbst verlieren in unsern Augen alle ihre Reizungen, wo wir nicht etwa bei reifern Jahren von selbst angetrieben werden, die Ursachen der erkannten Wahrheiten zu erforschen.

Menschlichkeit und Sanftmut verdienen bei jeder Gelegenheit empfohlen zu werden, und kein Anlaß dazu kann so entfernt sein, den wenigstens unser Herz nicht sehr natürlich und dringend finden sollte.

Es hat daher nie meine Absicht sein können, unmittelbar für den Dichter, oder für den Maler zu schreiben. Ich schreibe *über* sie, nicht *für* sie. Sie können mich, ich aber nicht sie entbehren. Um mich in einem Gleichnisse auszudrücken: ich wickle das Gespinste der Seidenwürmer ab, nicht um die Seidenwürmer spinnen zu lehren, sondern aus der Seide, für mich und meines gleichen, Beutel zu machen; Beutel, um das Gleichnis fortzusetzen, in welchen ich die kleine Münze einzelner Empfindungen so lange sammele, bis ich sie in gute wichtige Goldstücke allgemeiner Anmerkungen umsetzen, und diese zu dem Kapitale selbstgedachter Wahrheiten schlagen kann.

Man scheint zwar jetzt fast in allen Schulen einen ziemlichen Haß gegen das Auswendiglernen zu haben, und betrachtet es als die allerpedantischste Art der Unterweisung. Die Klassischen Schriftsteller sehen sich beinahe verdrängt, und man will von nichts als von sogenannten Realien hören, ohne zu bedenken, daß die vortrefflichsten in jenen enthalten sind. Man lehrt die Kinder in Schulen das, was sie auf der Universität lernen sollten, damit sie auf der Universität dasjenige nachholen können, was sie auf der Schule versäumt haben.

Es kömmt wenig darauf an, wie wir schreiben: aber viel, wie wir denken. Und Sie wollen doch wohl nicht behaupten, daß unter verblümten, bilderreichen Worten notwendig ein schwanker, schiefer Sinn liegen muß? daß niemand richtig und bestimmt denken kann, als wer sich des eigentlichsten, gemeinsten, plattesten

Ausdruckes bedienet? daß, den kalten, symbolischen Ideen auf irgend eine Art etwas von der Wärme und dem Leben natürlicher Zeichen zu geben suchen, der Wahrheit schlechterdings schade?

Wie lächerlich, die Tiefe einer Wunde nicht dem *scharfen*, sondern dem *blanken* Schwerte zuschreiben! Wie lächerlich also auch, die Überlegenheit welche die Wahrheit einem Gegner über uns gibt, einem blendenden Stile desselben zuschreiben! Ich kenne keinen blendenden Stil, der seinen Glanz nicht von der Wahrheit mehr oder weniger entlehnet. Wahrheit allein gibt echten Glanz; und muß auch bei Spötterei und Posse, wenigstens als Folie, unterliegen.

Eine jede Wissenschaft in ihrem engen Bezirke eingeschränkt, kann weder die Seele bessern, noch den Menschen vollkommener machen. Nur die Fertigkeit sich bei einem jeden Vorfalle schnell bis zu allgemeinen Grundwahrheiten zu erheben, nur diese bildet den großen Geist, den wahren Helden in der Tugend, und den Erfinder in Wissenschaften und Künsten.

Der größte Fehler, den man bei der Erziehung zu begehen pflegt, ist dieser, daß man die Jugend nicht zum eigenen Nachdenken gewöhnet ...

Ich weiß nicht, ob es Pflicht ist, Glück und Leben der Wahrheit aufzuopfern; wenigstens sind Mut und Entschlossenheit, welche dazu gehören, keine Gaben, die wir uns selbst geben können. Aber das, weiß ich, ist

Pflicht, wenn man Wahrheit lehren will, sie ganz, oder gar nicht, zu lehren; sie klar und rund, ohne Rätsel, ohne Zurückhaltung, ohne Mißtrauen in ihre Kraft und Nützlichkeit, zu lehren: und die Gaben, welche dazu erfordert werden, stehen in unserer Gewalt. Wer die nicht erwerben, oder, wenn er sie erworben, nicht brauchen will, der macht sich um den menschlichen Verstand nur schlecht verdient, wenn er grobe Irrtümer uns benimmt, die volle Wahrheit aber vorenthält, und mit einem Mitteldinge von Wahrheit und Lüge uns befriedigen will. Denn je gröber der Irrtum, desto kürzer und gerader der Weg zur Wahrheit: dahingegen der verfeinerte Irrtum uns auf ewig von der Wahrheit entfernt halten kann, je schwerer uns einleuchtet, daß er Irrtum ist.

Aber man kann studieren, und sich tief in den Irrtum hinein studieren.

Nicht die Wahrheit, in deren Besitz irgend ein Mensch ist, oder zu sein vermeinet, sondern die aufrichtige Mühe, die er angewandt hat, hinter die Wahrheit zu kommen, macht den Wert des Menschen. Denn nicht durch den Besitz, sondern durch die Nachforschung der Wahrheit erweitern sich seine Kräfte, worin allein seine immer wachsende Vollkommenheit bestehet. Der Besitz macht ruhig, träge, stolz –

Wenn Gott in seiner Rechten alle Wahrheit, und in seiner Linken den einzigen immer regen Trieb nach Wahrheit, obschon mit dem Zusatze, mich immer und ewig zu irren, verschlossen hielte, und spräche zu mir:

wähle! Ich fiele ihm mit Demut in seine Linke, und sagte: Vater gib! die reine Wahrheit ist ja doch nur für dich allein!

Die Natur weiß nichts von dem verhaßten Unterscheide, den die Menschen unter sich fest gesetzt haben. Sie teilet die Eigenschaften des Herzens aus, ohne den Edeln und den Reichen vorzuziehen, und es scheinet sogar, als ob die natürlichen Empfindungen bei gemeinen Leuten stärker, als bei andern, wären. Gütige Natur, wie beneidenswürdig schadlos hältst du sie wegen der nichtigen Scheingüter, womit du die Kinder des Glücks abspeisest! Ein fühlbar Herz -- wie unschätzbar ist es! Es macht unser Glück, auch alsdann wann es unser Unglück zu machen scheinet. --

Es muß ein kleiner Geist sein, der sich Wahrheiten zu borgen schämt.

Das, was unter der Gestalt der Wahrheit unter allen Völkern herumschleicht, und auch von den Blödsinnigsten angenommen wird, ist gewiß keine Wahrheit, und man darf nur getrost die Hand, sie zu entkleiden, anlegen, so wird man den scheußlichsten Irrtum nackend vor sich stehen sehen.

Zu viel Wißbegierde ist ein Fehler; und aus einem Fehler können alle Laster entspringen, wenn man ihm zu sehr nachhänget.

Die Siege geben dem Kriege den Ausschlag: sie sind aber sehr zweideutige Beweise der gerechten Sache: oder vielmehr sie sind gar keine.

Erziehung gibt dem Menschen nichts, was er nicht auch aus sich selbst haben könnte: sie gibt ihm das, was er aus sich selber haben könnte, nur geschwinder und leichter. Also gibt auch die Offenbarung dem Menschengeschlechte nichts, worauf die menschliche Vernunft, sich selbst überlassen, nicht auch kommen würde: sondern sie gab und gibt ihm die wichtigsten dieser Dinge nur früher.

Wenn keine historische Wahrheit demonstrieret werden kann: so kann auch nichts *durch* historische Wahrheiten demonstrieret werden.

Das ist: *zufällige Geschichtswahrheiten können der Beweis von notwendigen Vernunftswahrheiten nie werden.*

Also: nur erst den Kopf ab; mit der Besserung wird es sich schon finden, so Gott will! Welch ein Glück, daß die Zeiten vorbei sind, in welchen solche Gesinnungen Religion und Frömmigkeit hießen! daß sie wenigstens unter dem Himmel vorbei sind, unter welchem wir leben! Aber welch ein demütigender Gedanke, wenn es möglich wäre, daß sie auch unter diesem Himmel einmal wiederkommen könnten!

Den wahren Weg einschlagen ist oft bloßes Glück: um den rechten Weg bekümmert zu sein gibt allein Verdienst.

Der Erkenntnis nach sind wir Engel, und dem Leben nach Teufel.

Eine neue Sekte zu stiften, eine neue Religion zu predigen, ist ein Ungelehrter auch immer geschickter, als ein Gelehrter. Gesetzt auch ein Gelehrter hätte sich ein noch so blendendes System ausgedacht; gesetzt er besäße noch so viel Ehrgeiz, dieses System zu einer herrschenden Religion, und sich zu dem Haupte derselben zu machen: wenn er nicht die Macht besitzt, welche Moses besaß; wenn er nicht schon Heerführer und Gesetzgeber eines ganzen Volks ist; oder wenn er nicht Männer, die diese Stelle begleiten, sogleich in sein Interesse ziehen kann; wenn er sich seine ersten Anhänger unter der Menge suchen muß; so wird er wahrlich seinen ganzen Charakter verleugnen, seine ganze Denkungsart verändern müssen, um nur einigermaßen glücklich zu sein. Wahrheit und Philosophie werden ihn bei dem Pöbel nicht weit bringen; die künstliche Beredsamkeit der Schule ist ein zu viel feines Rüstzeug, so plumpe Massen in Bewegung zu setzen: er muß aufhören, Philosoph und Redner zu sein; er muß sacrificulus et vates werden, oder es sich zu sein stellen.

Wenn ein Jude betriegt, so hat ihn, unter neunmalen, der Christ vielleicht siebenmal dazu genötiget. Ich zweifle, ob viel Christen sich rühmen können, mit einem Juden aufrichtig verfahren zu sein: und sie wundern sich, wenn er ihnen Gleiches mit Gleichem zu vergelten sucht? Sollen Treu und Redlichkeit unter zwei Völkerschaften herrschen, so müssen beide gleich viel dazu beitragen. Wie aber, wenn es bei der einen ein Religionspunkt, und beinahe ein verdienstliches Werk wäre, die andre zu verfolgen?

Man wende nicht ein, daß von Priestern einer falschen Religion die Rede sei. So falsch war noch keine in der Welt, daß ihrer Lehrer notwendig Unmenschen sein müssen. Priester haben in den falschen Religionen, so wie in der wahren, Unheil gestiftet, aber nicht weil sie Priester, sondern weil sie Bösewichter waren, die, zum Behuf ihrer schlimmen Neigungen, die Vorrechte auch eines jeden andern Standes gemißbraucht hätten.

Ich sollte es nicht von Herzen wünschen, daß ein jeder über die Religion vernünftig denken möge? Ich würde mich verabscheuen, wenn ich selbst bei meinen Sudeleien einen andern Zweck hätte, als jene große Absichten befördern zu helfen. Laß mir aber doch nur meine eigne Art, wie ich dieses tun zu können glaube. Und was ist simpler als diese Art? Nicht das unreine Wasser, welches längst nicht mehr zu brauchen, will ich beibehalten wissen: ich will es nur nicht eher weggegossen wissen, als bis man weiß, woher reineres zu nehmen; ich will nur nicht, daß man es ohne Bedenken weggieße, und sollte man auch das Kind hernach in Mistjauche baden. Und was ist sie anders, unsere neumodische Theologie, gegen die Orthodoxie, als Mistjauche gegen unreines Wasser?

[...] Darin sind wir einig, daß unser altes Religionssystem falsch ist; aber das möchte ich nicht mit Dir sagen, daß es ein Flickwerk von Stümpern und Halbphilosophen sei. Ich weiß kein Ding in der Welt, an welchem sich der menschliche Scharfsinn mehr gezeigt und geübt hätte, als an ihm. Flickwerk von Stümpern und Halbphilosophen ist das Religionssystem, welches man jetzt an die Stelle des alten setzen will; und mit weit mehr Einfluß auf Vernunft und Philosophie, als sich das alte anmaßt. Und doch verdenkst Du es mir, daß ich dieses alte verteidige? Meines Nachbars Haus drohet ihm den Einsturz. Wenn es mein Nachbar abtragen will, so will ich ihm redlich helfen. Aber er will es nicht abtragen, sondern er will es, mit gänzlichem Ruin meines Hauses, stützen und unterbauen. Das soll er bleiben lassen, oder ich werde mich seines einstürzenden Hauses so annehmen, als meines eigenen.

So viel dürfte ich Dir im Vertrauen doch fast sagen: daß auch die Mannheimer Reise noch bis jetzt unter die Erfahrungen gehört, daß das deutsche Theater mir immer fatal ist; daß ich mich nie mit ihm, es sei auch noch so wenig, bemengen kann, ohne Verdruß und Unkosten davon zu haben.

Und Du verdenkst es mir noch, daß ich mich dafür lieber in die Theologie werfe? – Freilich, wenn mir am Ende die Theologie eben so lohnt, als das Theater! – Es sei! Darüber würde ich mich weit weniger beschweren; weil es im Grunde allerdings wahr ist, daß es mir bei meinen theologischen – wie Du es nennen willst – Neckereien oder Stänkereien, mehr um den gesunden Menschenverstand, als um die Theologie zu tun ist, und ich nur darum die alte orthodoxe (im Grunde *tolerante*) Theologie der neuern (im Grunde *intoleranten*) vorziehe, weil jene mit dem gesunden Menschenverstande offenbar streitet, und diese ihn lieber bestechen möchte. Ich vertrage mich mit meinen offenbaren Feinden, um gegen meine heimlichen desto besser auf meiner Hut sein zu können.

Die Religion hat weit höhere Absichten, als den *rechtschaffnen Mann* zu bilden. Sie setzt ihn voraus; und ihr Hauptzweck ist, den rechtschaffnen Mann zu *höhern Einsichten* zu erheben.

Der Aberglaub', in dem wir aufgewachsen,
Verliert, auch wenn wir ihn erkennen, darum
Doch seine Macht nicht über uns. – Es sind
Nicht alle frei, die ihrer Ketten spotten.
...
Der Aberglauben schlimmster ist, den seinen
Für den erträglichern zu halten ...

Es ist ein Glück, daß noch hier und da ein Gottesgelehrter auf das praktische des Christentums gedenkt, zu einer Zeit, da sich die allermeisten in unfruchtbaren Streitigkeiten verlieren; bald einen einfältigen Herrnhuter verdammen; bald einem noch einfältigern Religionsspötter durch ihre sogenannte Widerlegungen, neuen Stoff zum Spotten geben; bald über unmögliche Vereinigungen sich zanken, ehe sie den Grund dazu durch die Reinigung der Herzen von Bitterkeit, Zanksucht, Verleumdung, Unterdrückung, und durch die Ausbreitung derjenigen Liebe, welche allein das wesentliche Kennzeichen eines Christen ausmacht, gelegt haben. Eine einzige Religion zusammen flicken, ehe man bedacht ist, die Menschen zur einmütigen Ausübung ihrer Pflichten zu bringen, ist ein leerer Einfall. Macht man zwei böse Hunde gut, wenn man sie in eine Hütte sperret? Nicht die Übereinstimmung in den Meinungen, sondern die Übereinstimmung in tugendhaften Handlungen ist es, welche die Welt ruhig und glücklich macht.

Man muß Soldat sein, für sein Land; oder aus Liebe zu der Sache, für die gefochten wird. Ohne Absicht heute hier, morgen da dienen: heißt wie ein Fleischerknecht reisen, weiter nichts.

Die Dienste der Großen sind gefährlich, und lohnen der Mühe, des Zwanges, der Erniedrigung nicht, die sie kosten.

Nur der Pöbel wird gleich außer sich gebracht, wenn ihn das Glück einmal anlächelt.

... ich bin kein Freund allgemeiner Urteile über ganze Völker -- Sie werden meine Freiheit nicht übel nehmen. - Ich sollte glauben, daß es unter allen Nationen gute und böse Seelen geben könne.

Ja, Prinz; was ist ein König, wenn er kein Vater ist! Was ist ein Held ohne Menschenliebe!

Verdammt, über das Hofgeschmeiß! So viel Worte, so viel Lügen!

Sollen wir nur die lieben, die uns lieben?

V

Zwischen Nonchalance und Lakonie (Der Briefeschreiber)

Schreibe wie Du redest, so schreibst Du schön. Jedoch; hätte auch das Gegenteil statt, man könnte vernünftig reden, dennoch aber nicht vernünftig schreiben; so wäre es für Dich eine noch großere Schande, daß Du nicht einmal so viel gelernet.

Ich komme jung von Schulen, in der gewissen Überzeugung, daß mein ganzes Glück in den Büchern bestehe. Ich komme nach Leipzig, an einen Ort, wo man die ganze Welt in kleinen sehen kann. Ich lebte die ersten Monate so eingezogen, als ich in Meißen nicht gelebt hatte. Stets bei den Büchern, nur mit mir selbst beschäftigt, dachte ich eben so selten an die übrigen Menschen, als vielleicht an Gott. Dieses Geständnis kömmt mir etwas sauer an, und mein einziger Trost dabei ist, daß mich nichts Schlimmers als der Fleiß so närrisch machte. Doch es dauerte nicht lange, so gingen mir die Augen auf: Soll ich sagen, zu meinem Glücke, oder zu meinem Unglücke? Die künftige Zeit wird es entscheiden. Ich lernte einsehen, die Bücher würden mich wohl gelehrt, aber nimmermehr zu einen Menschen machen.

Wenn ich auf meiner Wanderschaft nichts lerne, so lerne ich mich doch in die Welt schicken. Nutzen genung! Ich werde doch wohl noch an einen Ort kommen, wo sie so einen Flickstein brauchen, wie mich.

Eine gute Kleidung ohne genugsame Wäsche ist so viel als keine.

Wenn man nicht versucht, welche Sphäre uns eigentlich zukömmt, so wagt man sich oftermals in eine falsche, wo man sich kaum über das Mittelmäßige erheben kann, da man sich in einer andern vielleicht bis zu einer wundernswürdigen Höhe hätte schwingen können.

Die Zeit soll lehren, ob der ein beßrer Xst ist, der die Grundsätze der christlichen Lehre im Gedächtnisse, und oft, ohne sie zu verstehen, im Munde hat, in die Kirche geht, und alle Gebräuche mit macht, weil sie gewöhnlich sind; oder der, der einmal klüglich gezweifelt hat, und durch den Weg der Untersuchung zur Überzeugung gelangt ist, oder sich wenigstens noch darzu zu gelangen bestrebet. Die Xstliche Religion ist kein Werk, das man von seinen Eltern auf Treue und Glauben annehmen soll. Die meisten erben sie zwar von ihnen eben so wie ihr Vermögen, aber sie zeugen durch ihre Aufführung auch, was vor rechtschaffne Xsten sie sind.

So lange ich nicht sehe, daß man eins der vornehmsten Gebote des Xstentums, *seinen Feind zu lieben*, nicht besser beobachtet, so lange zweifle ich, ob diejenigen Christen sind, die sich davor ausgeben.

Gemächlich heißt bei mir, was ein andrer vielleicht *zur Not* nennen würde. Allein, was tut mir das, ob ich in der Fülle lebe oder nicht, wenn ich nur lebe.

Ich lenke ein und komme auf Ihre *Inklination* [Neigung], die Sie hier in Leipzig zurückgelassen. Sie denken, ich meine die Madame K. [die Schauspielerin Christiane Henriette Koch (?)]? Wahrhaftig nicht, ich meine die Bretzeln. Ohne diese in Leipzig zu leben, würde Ihnen, glaub' ich, schmerzhafter sein, als es dem reichen Manne wird, in der Hölle ohne einen Tropfen Wasser zu schmachten.

Ich glaube, der Schöpfer mußte alles, was er erschuf, fähig machen, vollkommner zu werden, wenn es in der Vollkommenheit, in welcher er es erschuf, bleiben sollte. Der Wilde, zum Exempel, würde, ohne die Perfektibilität, nicht lange ein Wilder bleiben, sondern gar bald nichts besser als irgend ein unvernünftiges Tier werden; er erhielt also die Perfektibilität nicht deswegen, um etwas Bessers als ein Wilder zu werden, sondern deswegen, um nichts Geringers zu werden.

Großmütige Vergebung kann oft eine von den härtesten Strafen sein, und wenn wir mit denen Mitleiden haben, welche Strafe leiden, so können wir auch mit denen Mitleiden haben, welche eine außerordentliche Vergebung annehmen müssen.

Eine Wahrheit aber hat mich meine Zerstreuung gelehrt, und diese will ich Sie auch lehren. Glauben Sie es ja nicht, daß man zerstreut ist, wenn man allzu viel in seinen Gedanken hat, man ist niemals zerstreuter, als wenn man an gar nichts denkt.

Ein Trauerspiel voller Schrecken, ohne Mitleid, ist ein Wetterleuchten ohne Donner.

Das Wort Bewunderung wird von dem größten Bewunderer, dem Pöbel, so oft gebraucht, daß ich es kaum wagen will, aus dem Sprachgebrauche etwas zu entscheiden. Seine, des Pöbels Fähigkeiten sind so gering, seine Tugenden so mäßig, daß er beide nur in einem leidlichen Grade entdecken darf, wenn er bewundern soll. Was über seine enge Sphäre ist, glaubt er über die Sphäre der ganzen menschlichen Natur zu sein.

Unter tausend Menschen wird nur ein Weltweiser sein, welcher den Tod nicht für das größte Übel, und das Totsein nicht für eine Fortdauer dieses Übels hält!

Gesegnet sei Ihr Entschluß, sich selbst zu leben! Um seinen Verstand auszubreiten, muß man seine Begierden einschränken. Wenn Sie leben können, so ist es gleichviel, ob Sie von mäßigen, oder von großen Einkünften leben.

Wir wollen von der Arbeit unsrer Hände leben; wir schämen uns keiner. Alle Arten, sein Brot zu verdienen, sind einem ehrlichen Manne gleich anständig; Holz spalten, oder am Ruder des Staates sitzen. Es kömmt seinem Gewissen nicht darauf an, wie viel er nützt, sondern wie viel er nützen wollte.

Ich glaube, der ist der größte Geck, der die größte Fertigkeit im Bewundern hat; so wie ohne Zweifel derjenige der beste Mensch ist, der die größte Fertigkeit im Mitleiden hat.

Die Großmut muß eine beständige Eigenschaft der Seele sein; und ihr nicht bloß ruckweise entfahren.

Da sehen Sie einmal, was mir der Krieg für Schaden tut! Ich und der König von Preußen werden eine gewaltige Rechnung mit einander bekommen! Ich warte nur auf den Frieden, um sie auf eine oder die andere Weise mit ihm abzutun. Da nur er, er allein, die Schuld hat, daß ich die Welt nicht gesehen habe, wär' es nicht billig, daß er mir eine Pension gäbe, wobei ich die Welt vergessen könnte? Sie denken, das wird er fein bleiben lassen! Ich denke es nicht weniger; aber dafür will ich ihm auch wünschen, – – daß nichts als schlechte Verse auf seine Siege mögen gemacht werden! Was brauche ich das zwar zu wünschen?

Ein naiver Gedanke, der weiter nichts als naiv ist, ist ein Unding, es muß allzeit noch etwas dabei sein, erhaben, oder satirisch, oder lächerlich, und kurz, alle Arten von Gedanken können naiv sein, weil das Naive bloß in dem Ausdrucke besteht, und weiter nichts als eine oratorische Figur ist.

Ihr letzter Brief an unsern lieben H. Oberstwachmeister [Ewald von Kleist] hat mich herzlich belustiget. Schreiben Sie ja oft dergleichen, damit wir hier auch den Krieg auf der spaßhaften Seite kennen lernen. Ich habe aber, vor vielen Jahren, eine alte ehrliche Frau gekannt, die, wenn sie in ihrer Stube nichts mehr zu tun fand, die Fliegen auf der Gasse anfing tot zu schlagen. Die Arbeit war leicht; nur daß es eine ewige Arbeit war. Ich glaube, sie schlägt noch tot. –

Wie glücklich sind Sie, *solche* witzige Köpfe [französische Einquartierung] bei sich zu haben! – Oder vielmehr, wie glücklich sind diese witzigen Köpfe, daß sie einmal mit einem vernünftigen Deutschen umgehen können! Nunmehr werden sie doch wohl sehen, daß es eben nicht unsre größten Geister sind, die nach Paris kommen. Aber ich bitte Sie inständigst, zeigen Sie sich ja als einen wahren Deutschen! Verbergen Sie allen Witz, den Sie haben; lassen Sie nichts von sich hören, als Verstand; wenden Sie diesen vornehmlich an, jenen verächtlich zu machen. – Das ist die einzige Rache, die Sie jetzt an Ihren Feinden nehmen können.

Was sagen Sie zu Klopstocks geistlichen Liedern? Wenn Sie schlecht davon urteilen, so werde ich an Ihrem Christentume zweifeln; und urteilen Sie gut davon, an Ihrem Geschmacke. Was wollen Sie lieber?

Ich will durchaus alle Ihre poetischen Arbeiten sehen; ob ich gleich deswegen nicht will, daß Sie mehr Zeit auf die Poesie, als auf die Philosophie verwenden sollen. Denn Sie haben in der Tat Recht: den schönen Wissenschaften sollte nur ein Teil unsrer Jugend gehören; wir haben uns in wichtigern Dingen zu üben, ehe wir sterben. Ein Alter, der seine ganze Lebenszeit über nichts als gereimt hat, und ein Alter, der seine ganze Lebenszeit über nichts getan, als daß er seinen Atem in ein Holz mit Löchern gelassen; von solchen Alten zweifle ich sehr, ob sie ihre Bestimmung erreicht haben.

Da sehen Sie, was es für eine vortreffliche Sache um das *Nichtstun* ist; man bekommt, wenn man nichts tut, hunderterlei Ideen, die man sonst schwerlich würde bekommen haben.

Sie wissen ja wohl: wenn der Poet nicht zugleich Soldat ist, so ist der Poet eine sehr nachlässige Kreatur.

Was werden Sie von mir sagen, daß ich mir immer wenigstens 14 Tage zu einer Antwort nehme? Sie werden sagen, daß ich immer derselbe bin! Gebe Gott, daß ich es auch bleiben möge. Denn ich besorge sehr, daß ich noch bequemer, noch nachlässiger werde.

Vielleicht zwar ist auch der Patriot bei mir nicht ganz erstickt, obgleich das Lob eines eifrigen Patrioten, nach meiner Denkungsart, das allerletzte ist, wonach ich geizen würde; des Patrioten nämlich, der mich vergessen lehrt, daß ich ein Weltbürger sein sollte.

Ich habe überhaupt von der Liebe des Vaterlandes (es tut mir leid, daß ich Ihnen vielleicht meine Schande gestehen muß) keinen Begriff, und sie scheinet mir aufs höchste eine heroische Schwachheit, die ich recht gern entbehre.

... Sie hören, daß ich krank gewesen bin, oder doch sehr verdrießlich; denn der Verdruß ist bei mir eine Krankheit; und ich bin nicht länger gesund, als ich vergnügt bin.

Unter meine Bücher also wieder verwiesen, habe ich meine alte Lebensart fortgesetzet, bei der sich täglich meine Lust zu studieren vermehret, und meine Lust zu schreiben vermindert.

Ihr Urteil von meinen Fabeln ist allzu gütig. Ich danke Ihnen für Ihren freundschaftlichen Beifall. Für einen freundschaftlichen Tadel würde ich Ihnen noch mehr danken. Denn dieser könnte mich besser machen, und von jenem besorge ich, daß er mich stolz machen wird.

… so lange ich noch von meiner Arbeit leben kann, und ziemlich gemächlich leben kann, habe ich nicht die geringste Lust, der Sklave eines Amts zu werden.

Sie werden sich vielleicht über meinen Entschluß [die Stellung als Gouvernements-Sekretär beim preußischen Kommandanten von Breslau anzutreten] wundern. Die Wahrheit zu gestehen, ich habe jeden Tag wenigstens eine Viertelstunde, wo ich mich selbst darüber wundere. Aber wollen Sie wissen, liebster Freund, was ich alsdann zu mir selbst sage? »Narr!« sage ich, und schlage mich an die Stirn: »wann wirst du anfangen, mit dir selbst zufrieden zu sein? Freilich ist es wahr, daß dich eigentlich nichts aus Berlin trieb; daß du die Freunde hier nicht findest, die du da verlassen; daß du wenig Zeit haben wirst, zu studieren. Aber war nicht alles dein freier Wille? Warest du nicht Berlins satt? Glaubtest du nicht, daß deine Freunde deiner satt sein müßten? daß es bald wieder einmal Zeit sei, mehr unter Menschen als unter Büchern zu leben? daß man nicht bloß den Kopf, sondern, nach dem dreißigsten Jahre, auch den Beutel zu füllen bedacht sein müsse? Geduld! dieser ist geschwinder gefüllt, als jener. …«

Zug um Zug, ist eine Regel in der Handlung, aber nicht in der Freundschaft. Handel und Wandel leidet keine Freundschaft: aber Freundschaft leidet auch keinen Handel und Wandel.

Sehen Sie, wenn ich jetzt auch noch so viel vergesse, ich behalte doch wenigstens die Bücher, wo ich es wieder finden kann. Und kann ich mir nun die Bücher vollends selber kaufen – das kann ich jetzt – so gewinne ich ja offenbar im Verlieren. Denn in den Büchern steht sicherlich mehr, als ich vergesse. Geben Sie nur Acht, je mehr ich vergesse, desto gelehrter werde ich werden!

Wer Frau und Kinder zu versorgen hat, muß freilich sein Geld klüger anwenden. Aber unser eins; ich bin so ein Ding, was man Hagestolz nennt. Das hat keine Frau; und wenn es schon dann und wann Kinder hat, so hat es doch keine zu versorgen. – Was machte ich mit dem Gelde, wenn ich nicht Bücher kaufte?

Die Narren, so verschieden sie sind, befinden sich doch meistenteils in einerlei Umständen. Niemals an ihrem rechten Orte, immer das Spiel des Zufalles; und wenn sie nicht die Gabe hätten, mit sich selbst zufrieden zu sein, so wäre es keine Seele in der Welt.

So ungern ich selbst jederzeit von andern Leuten sogenannten guten Rat angenommen habe; so zurückhaltend bin ich mit meinem eigenen, und ich will lieber jedem, der es bedarf, meinen letzten Groschen geben, als ihm sagen: tue das, tue jenes. Wer seine Jahre hat, muß selbst wissen, was er tun kann, was er tun muß; und wer erst hören will, was andere Leute zu seinen Anschlägen sagen, der hat bloß Lust, Zeit zu gewinnen, und indes andere zu fassen.

Warum sollen Traurige einander ihre Traurigkeit mitteilen, und sie vorsätzlich dadurch verstärken? Die einzige wahre Pflicht, die mir der Tod meines Bruders auflegen kann, ist diese, daß ich mein übriges Geschwister desto inniger liebe, und die Zuneigung, die ich gegen den Toten nicht mehr zeigen kann, auf die Lebendigen übertrage. Viele bedauren im Tode, was sie im Leben nicht geliebt haben. Ich will im Leben lieben, was mir die Natur zu lieben befiehlt, und nach dem Tode so wenig als möglich zu bedauren suchen.

Ich bin über die Hälfte meines Lebens, und ich wüßte nicht, was mich nötigen könnte, mich auf den kürzern Rest desselben noch zum Sklaven zu machen. [...] Wer gesund ist, und arbeiten will, hat in der Welt nichts zu fürchten. Sich langwierige Krankheiten und ich weiß nicht was für Umstände befürchten, die einen außer Stand zu arbeiten setzen könnten, zeigt ein schlechtes Vertrauen auf die Vorsicht. Ich habe ein besseres, und habe Freunde.

Alle Veränderungen unsers Temperaments, glaube ich, sind mit Handlungen unserer animalischen Ökonomie verbunden. Die ernstliche Epoche meines Lebens nahet heran; ich beginne ein Mann zu werden, und schmeichle mir, daß ich in diesem hitzigen Fieber den letzten Rest meiner jugendlichen Torheiten verraset habe. Glückliche Krankheit! Ihre Liebe wünschet mich gesund; aber sollten sich wohl Dichter eine athletische Gesundheit wünschen? Sollte der Phantasie, der Empfindung, nicht ein gewisser Grad von Unpäßlichkeit weit zuträglicher sein? Die Horaze und Ramler wohnen in schwächlichen Körpern. Die gesunden Theophile und Lessinge werden Spieler und Säufer. Wünschen Sie mich also gesund, liebster Freund; aber wo möglich mit einem kleinen Denkzeichen gesund, mit einem kleinen Pfahl im Fleische, der den Dichter von Zeit zu Zeit den hinfälligen Menschen empfinden lasse, und ihm zu Gemüte führe, daß nicht alle Tragici mit dem Sophokles 90 Jahr werden; aber, wenn sie es auch würden, daß Sophokles auch an die neunzig Trauerspiele, und ich erst ein einziges gemacht!

Wenn sich doch nur eines guten Rats wegen niemand an mich wenden wollte! Ich kann niemand raten, und will niemand raten. In Wahrheit, ich weiß nicht, was ich ihm antworten soll, und daher werde ich ihm gar nicht antworten müssen. Könnte ich ihm helfen, so wollte ich es von Grund der Seelen gerne tun; aber wie und womit?

Ich bin zwar nicht dafür, daß man von Feinden, die nichts als Verachtung verdienen, wegen boshafter Verleumdungen gerichtliche Genugtuung suchen soll; es kann aber freilich wohl Umstände geben, in welchen man seinen guten Namen nicht anders zu retten weiß.

Schreibt man denn nur darum, um immer Recht zu haben? Ich meine, mich um die Wahrheit eben so verdient gemacht zu haben, wenn ich sie verfehle, mein Fehler aber die Ursache ist, daß sie ein anderer entdecket, als wenn ich sie selber entdecke.

Liebster Freund, wir werden alle Tage älter; lassen Sie uns bald tun, was wir noch tun wollen.

Ich glaube, daß es leicht möglich ist, über ein Werk, das man mit allem stürmischen Feuer der Jugend angefangen hat, nach und nach zu erkalten.

Wenn es möglich wäre, Ihnen zu beschreiben, in was für Verwirrungen, Sorgen und Arbeiten ich seit Jahr und Tag stecke, wie mißvergnügt ich fast immer gewesen, wie erschöpft ich mich oft an Leibes- und Seelenkräften befunden: ich weiß gewiß, Sie würden mir mein zeitheriges Stillschweigen nicht allein verzeihen, sondern es auch für den einzigen Beweis meiner kindlichen Achtung und Liebe halten, den ich Ihnen in dieser Zeit zu geben im Stande gewesen bin. Wenn ich einmal schreibe, ist mir es nicht möglich, anders zu schreiben, als ich eben denke und empfinde. Sie würden den unangenehmsten Brief zu lesen bekommen haben, und ich würde mit meinen Umständen noch unzufriedner geworden sein, wenn ich mir vorgestellt hätte, wie viel Kummer sie meinen Eltern verursachen müßten. Am besten also, ich ließ' Sie gar nichts davon wissen; welches aber nicht anders geschehen konnte, als daß ich gar nicht schrieb.

Nimm meinen brüderlichen Rat, und gib den Vorsatz ja auf, vom Schreiben zu leben. Den, mit jungen Leuten auf die Universität zu gehen, billige ich auch nicht sehr. Was soll am Ende heraus kommen? Sieh, daß Du ein

Sekretär wirst, oder in ein Kollegium kommen kannst. Es ist der einzige Weg, über lang oder kurz nicht zu darben. Für mich ist es zu spät, einen andern einzuschlagen. Ich rate Dir damit nicht, zugleich alles gänzlich aufzugeben, wozu Dich Lust und Genie treiben.

Aber wissen Sie, was mich ärgert? Daß alle, denen ich sage: »Ich reise nach Rom«, sogleich auf Winckelmannen verfallen. Was hat Winckelmann, und der Plan, den sich Winckelmann in Italien machte, mit meiner Reise zu tun? Niemand kann den Mann höher schätzen als ich: aber dennoch möchte ich eben so ungern Winckelmann sein, als ich oft Lessing bin!

Studiere fleißig Moral, lerne Dich gut und richtig ausdrücken, und kultiviere Deinen eigenen Charakter: ohne das kann ich mir keinen guten dramatischen Schriftsteller denken.

Ich sage Ihnen dieses auch darum, daß Sie nicht glauben, daß ich mich aufs künftige lediglich unter den Altertümern vergraben will. Ich schätze das Studium derselben gerade so viel, als es wert ist: ein Steckenpferd mehr, sich die Reise des Lebens zu verkürzen. Mit allen zu unsrer wahren Besserung wesentlichen Studien ist man so bald fertig, daß einem Zeit und Weile lang wird.

Ich kenne Dieselben schon längst als einen Mann von vieler und großer Literatur: ich begreife auch sehr wohl, daß mir die Ehre Dero nähern Bekanntschaft sehr vorteilhaft sein könnte. Ich bedauere aber nur, daß wir nicht an einem Orte zusammen leben. Denn zum schriftlichen Umgange bin ich so wenig aufgelegt, daß meine ältesten und vertrautesten Freunde, daß meine Eltern und Anverwandte, oft in zwei drei Jahren keine Zeile von mir zu sehn bekommen.

Nur diejenigen sind mit den Schätzen, die sie unter ihrer Verwahrung haben, zurückhaltend und neidisch, die sie selbst nicht zu brauchen wissen.

Die Poesie muß schlechterdings ihre willkürlichen Zeichen zu natürlichen zu erheben suchen; und nur dadurch unterscheidet sie sich von der Prose, und wird Poesie. Die Mittel, wodurch sie dieses tut, sind der Ton, die Worte, die Stellung der Worte, das Silbenmaß, Figuren und Tropen, Gleichnisse u. s. w. Alle diese Dinge bringen die willkürlichen Zeichen den natürlichen näher; aber sie machen sie nicht zu natürlichen Zeichen: folglich sind alle Gattungen, die sich nur dieser Mittel bedienen, als die niedern Gattungen der Poesie zu betrachten; und die höchste Gattung der Poesie ist die, welche die willkürlichen Zeichen gänzlich zu natürlichen Zeichen macht. Das ist aber die dramatische; denn in dieser hören die Worte auf, willkürliche Zeichen zu sein, und werden *natürliche* Zeichen willkürlicher Dinge. Daß die dramatische Poesie die höchste, ja die einzige Poesie ist, hat schon Aristoteles gesagt, und er gibt der Epopee nur in so fern die zweite Stelle, als sie größten Teils dramatisch ist, oder sein kann. Der Grund, den er davon angibt, ist zwar nicht der meinige; aber er läßt sich auf meinen reduzieren, und wird nur durch diese Reduktion auf meinen vor aller falschen Anwendung gesichert.

Um die Zuschauer so lachen zu machen, daß sie nicht zugleich über uns lachen, muß man auf seiner Studierstube lange sehr ernsthaft gewesen sein. Man muß nie schreiben, was einem zuerst in den Kopf kommt.

Und wo kann es denn einem Gelehrten an Freiheit zu denken fehlen? Aber ein Narr will alles schreiben, was er denkt.

Wien mag sein, wie es will, der deutschen Literatur verspreche ich dort immer noch mehr Glück, als in Eurem französierten Berlin. Wenn der »Phädon« in Wien konfisziert ist: so muß es bloß geschehen sein, weil er *in Berlin* gedruckt worden, und man sich nicht einbilden können, daß man in Berlin für die Unsterblichkeit der Seele schreibe. Sonst sagen Sie mir von Ihrer Berlinischen Freiheit zu denken und zu schreiben ja nichts. Sie reduziert sich einzig und allein auf die Freiheit, gegen die Religion so viel Sottisen zu Markte zu bringen, als man will. Und dieser Freiheit muß sich der rechtliche Mann nun bald zu bedienen schämen. Lassen Sie es aber doch einmal einen in Berlin versuchen, über andere Dinge so frei zu schreiben, als Sonnenfels in Wien geschrieben hat; lassen Sie es ihn versuchen, dem vornehmen Hofpöbel so die Wahrheit zu sagen, als dieser sie ihm gesagt hat; lassen Sie einen in Berlin auftreten, der für die Rechte der Untertanen, der gegen Aussaugung und Despotismus seine Stimme erheben wollte, wie es itzt sogar in Frankreich und Dänemark geschieht: und Sie werden bald die Erfahrung haben, welches Land bis auf den heutigen Tag das sklavischste Land von Europa ist.

Auch die glücklichste Autorschaft ist das armseligste Handwerk!

Gott weiß, daß ich mich herzlich sehne, vors erste in Ruhe zu kommen, weil ich doch in Ruhe kommen *soll*. Das Sperlingsleben auf dem Dache ist nur recht gut, wenn man ihm kein Ende abzusehen braucht.

Ihr unglücklichen Leute, die Ihr noch Gelder für Bücher ausgeben müßt! Diese Torheit habe ich überstanden, und ins künftige kann ich das Geld, das ich sonst auf Bücher wandte, ver – Was meinen Sie, was ich schreiben wollte? vertrinken? verspielen? verhuren? – Wahrlich ich wollte schreiben *vergraben*.

Ich wohne in einem großen verlassenen Schlosse ganz allein: und der Abfall von dem Zirkel, in welchem ich in Hamburg herumschwärmte, auf meine gegenwärtige Einsamkeit ist groß, und würde jedem unerträglich sein, der nicht alle Veränderung von Schwarz in Weiß so sehr liebt als ich. Es verlohnte sich der Mühe, daß Sie einmal Ihren Weg von Leipzig nach Hause über Wolfenbüttel nähmen. Lassen Sie es lieber diesesmal sein! Denn ich denke, daß ich Ihnen tausend Dinge zu sagen hätte, die sich nicht schreiben lassen.

Leben Sie recht wohl, meine liebe Freundin; und bedenken Sie fein, daß der Mensch nicht bloß von geräuchertem Fleisch und Spargel, sondern, was mehr ist, von einem freundlichen Gespräche, mündlich oder schriftlich, lebet.

Ich danke Ihnen für die erste Nachricht, daß Sie wohlbehalten über den Harz gekommen sind. Es ist recht gut, daß Sie so lächerliche Reisegesellschaft gefunden haben. Das Lächerliche ist meistens das einzige Vergnügen, das man sich auf der Reise machen kann. Nehmen Sie es ja überall mit: denn das Lachen erhält gesund, und macht, wie man sagt, sogar fett. Fett rate ich Ihnen nun zwar nicht zu werden; und fetter wird Sie ohnedem schon der Pyrmonter machen. Diese Wirkung haben Sie von ihm noch zu gute.

Alles in der Welt hat seine Zeit, alles ist zu überstehen und zu übersehen, wenn man nur gesund ist.

Wahrlich, Sie dürfen nur vergnügt sein, und die Gesundheit findet sich von selbst. Und vergnügt wird man

Eva Lessing, geb. Hahn, verw. König
Gemälde von Georges Desmarées

unfehlbar, wenn man sich nur immer vorsetzt, vergnügt zu sein. Folgen Sie dem Rate, den ich Ihnen in meinem Vorigen gegeben, und alles wird gut gehen. Sollte denn nichts in der Welt sein, was Ihnen das Leben von neuem angenehm machen könnte? Und wenn so etwas noch ist, so denken Sie nur an das, und Sie werden vergnügt und werden gesund sein.

Auch das, meine liebe Freundin, lobe ich recht sehr, daß Sie in Wien fleißiger in die Kirche gehen, als in das Theater. Denn ich glaube in allem Ernste, daß es freilich für jeden guten Menschen, der nicht ganz undenkend ist, in den Wiener Kirchen mehr zu lachen geben muß, als in dem Wiener Theater.

An dem neuen Stücke, *Die Hausplage*, so gut es sonst sein mag, finde ich den Titel sehr zu tadeln. Als ob die Hausplage nicht eben so wohl vom männlichen als weiblichen Geschlechte sein könnte! Und ich muß mich nur über Sie, meine liebe Freundin, wundern, daß Sie mir davon sprechen, als ob es sich schon von selbst verstünde, daß es von nichts anderm, als einer bösen *Frau* handeln könne. Ihre Anmerkung übrigens, daß die Weiber da sehr gut sein müssen, wo es sich der Mühe verlohnt, eine Böse auf das Theater zu bringen, finde ich sehr richtig: und wo nur nicht gar eine solche Vorstellung mehr Schaden als Gutes stiftet! Viel Weiber sind gut, weil sie nicht wissen, wie man es machen muß, um böse zu sein.

Wenn also an Dingen, die sich nur kaum entschuldigen lassen, der Pöbel mit Gewalt etwas Göttliches finden soll und will: so tut, denke ich, der Weise Unrecht, wenn er diese Dinge bloß entschuldigt. Er muß vielmehr mit aller Verachtung von ihnen sprechen, die sie in unsern bessern Zeiten verdienen würden, mit aller der Verachtung, die sie in noch bessern, noch aufgeklärtern Zeiten nur immer verdienen können.

Mit einem lachen, mit einem zugleich über eine Verlegenheit lachen, aus der er sich selbst nicht geschwind genug helfen kann, das ist ja nicht das, was das häßliche *Verlachen* sagen will, sondern ist eine unschuldige Lust, die sich Freunde einander nicht versagen sollten.

Ich kann nicht schließen, ohne mich noch ein wenig wegen Ihrer fortdaurenden Schwermut zu zanken. Ich muß Ihnen nur sagen, daß ich die Schwermut für eine sehr mutwillige Krankheit halte, die man nicht los wird, weil man sie nicht los werden will.

Besorgen Sie meinetwegen also nur nichts: ich habe es mir zum Gesetze gemacht, vergnügt zu sein, wenn ich auch noch so wenig Ursache dazu sehe; und so wie ich hier lebe, wundern sich mehr Leute, daß ich nicht vor Langerweile und Unlust umkomme, als sich wundern würden, wenn ich wirklich umkäme. Freilich kostet es Kunst, sich selbst zu überreden, daß man glücklich ist: aber welches Glück besteht denn auch in etwas mehr, als in unserer Überredung?

Ich beurteile Sie hierin nach mir: denn unmöglich, denke ich, würde ich bei meiner alten Mutter, und an dem Orte, wo ich meine Jugend vergnügt zugebracht, mißvergnügt sein können. Es mengen sich da zu viel angenehme Ideen der Erinnerung in die gegenwärtigen Empfindungen: und im Grunde ist es immer eins, ob man sich über das Gegenwärtige oder über das Vergangene zu freuen hat; wenn man sich denn nur freuet.

Ich habe freilich, leider, Briefe genug zu schreiben, und würde deren noch viel mehr zu schreiben haben, wenn ich es meinen Korrespondenten nicht allzuoft zu verstehen gäbe, wie ungern ich überhaupt Briefe schreibe, sobald Briefe etwas anders sein sollen, als freundschaftliche Plauderei mit einem Abwesenden. Den meisten von den Herren, denen ich antworten muß, wenn wir an einem Orte zusammen lebten, würde ich vielleicht nicht Jahr und Tag unter die Augen kommen: was kann ich für Lust haben, an Leute zu schreiben, mit denen ich nur sehr selten Lust haben würde, zu sprechen?

Es ist eine verfängliche Sache, wenn man auf sich selbst raten soll; es sei im Guten oder im Bösen.

Unter allen Elenden glaube ich, ist der der Elendeste, der mit seinem Kopfe arbeiten soll, auch wenn er sich keines Kopfes bewußt ist.

O, meine Liebe, lassen Sie sich ja Dinge nicht so nahe ans Herz gehen, die nun einmal nicht zu ändern sind. Bedenken Sie, daß Ihre Gesundheit das Kostbarste ist, was Sie Ihren Kindern erhalten können.

Ich wollte Ihnen um alles in der Welt nicht raten, sich eine unredliche oder auch nur zweideutige Handlung zu erlauben, wenn Sie auch, ich weiß nicht was, damit retten oder gewinnen könnten. Ich wäre es wert, mich um alle Achtung damit bei Ihnen zu bringen.

Die bloße Versicherung, welche die eigene Kritik uns gewährt, daß man auf dem rechten Wege ist und bleibt, wenn sie auch noch so überzeugend wäre, ist doch so kalt und unfruchtbar, daß sie auf die Ausarbeitung keinen Einfluß hat.

Und warum sollte eine nicht ganz schlechte Frau, wenn ihr Herz durch Betrübnis weich gemacht worden, nicht das aus Mitleid tun, was sie nie aus Liebe tun wollen?

Ich kenne an einem unverheirateten Mädchen keine höhere Tugenden, als Frömmigkeit und Gehorsam.

Ich rechne auf Ihr gutes Gedächtnis, und weiß, daß das Gedächtnis noch einmal so gut ist, wenn ihm das Herz ein wenig einhilft.

Nimm es mir nicht übel, daß ich so eigensinnig bin. Aber Du weißt ja wohl, was es meistenteils für Leute sind, die unsere Schauspiele lesen: Leute, die der offenbarste Fehler irre machen kann.

Sich zum Volke herablassen, hat man geglaubt, heiße: gewisse Wahrheiten (und meistens Wahrheiten der Religion) so leicht und faßlich vortragen, daß sie der Blödsinnigste aus dem Volke verstehe. Diese Herablassung also hat man lediglich auf den *Verstand* gezogen; und darüber an keine weitere Herablassung zu dem *Stande* gedacht, welche in einer täuschenden Versetzung in die mancherlei Umstände des Volkes besteht. Gleichwohl ist diese letztere Herablassung von der Beschaffenheit, daß jene erstere von selbst daraus folgt; da hingegen jene erstere ohne diese letztere nichts als ein schales Gewäsch ist, dem alle individuelle Applikation fehlt.

Aber nun auch die bessere Art des Beifalls, die wir einander unter uns geben können: Ihre Kritik! Sie haben mir sie versprochen, und ich erwarte sie so gewiß, als bald. Kritik, will ich Ihnen nur vertrauen, ist das einzige Mittel, mich zu mehrerem aufzufrischen, oder vielmehr aufzuhetzen. Denn da ich die Kritik nicht zu dem kritisierten Stücke anzuwenden im Stande bin; da ich zum Verbessern überhaupt ganz verdorben bin, und das Verbessern eines dramatischen Stücks insbesondere fast für unmöglich halte, wenn es einmal zu einem gewissen Grade der Vollendung gebracht ist, und die Verbesserung mehr als Kleinigkeiten betreffen soll: so nutze ich die Kritik zuverlässig zu etwas Neuem. – Also, liebster Freund, wenn auch Sie es wollen, daß ich wieder einmal etwas Neues in dieser Art machen soll; so sehen Sie, worauf es dabei mit ankömmt: – mich durch Tadel zu reizen, nicht dieses Nämliche besser zu machen, sondern überhaupt etwas Besseres zu machen. Und wenn auch dieses Bessere sodann notwendig noch seine Mängel haben muß: so ist dieses allein der Ring durch die Nase, an dem man mich in immerwährendem Tanze erhalten kann.

Aber was mich noch mehr als die Vorstellung meines Stücks interessiert hat, war, Ihr eignes Urteil darüber zu vernehmen. Ich will darauf schwören, und wenn Sie wollen, auch wetten, daß Sie in den meisten Stücken Ihrer Kritik Recht haben mögen. Nur untersuchen mag ich es jetzt nicht. Ich danke Gott, daß ich den ganzen Plunder nach und nach wieder aus den Gedanken verliere, und will mir ihn durch eine solche Untersuchung nicht wieder auffrischen. Ich habe in dieser Absicht wohl noch mehr getan: ich habe der hiesigen Vorstellung nicht ein einzigesmal beigewohnt. Ehe ich die dramatische Arbeit nicht gänzlich wieder aus dem Kopfe habe, will keine andere hinein. Aber warum muß ich sie denn aus dem Kopfe haben?

Denn es wäre ohnstreitig unsere Pflicht, uns über das Unglück eines Bösewichts zu freuen: wenn Pflicht das heißt, was dem positiven Gesetze gemäß ist. Aber dieser Pflicht ungeachtet können wir ihn nicht ganz ohne Mitleid lassen, weil dieser Bösewicht doch ein Mensch ist.

Ich will hier sein, wie wir überhaupt in der Welt sein sollten: gefaßt, alle Augenblicke aufbrechen zu können, und doch willig, immer länger und länger zu bleiben.

Leben Sie wohl, und beklagen Sie einen Menschen, der bei gesundem Leibe krank, und bei gesundem Verstande närrisch ist.

Ich will es nicht vergessen, daß der vollkommenste Leser auch zugleich der gutherzigste ist. Was er selbst hinzudenkt, macht ihn wärmer, als was er lieset: und doch hat er die Gefälligkeit, seine ganze Empfindung dem Buche zu danken.

Ich bin den ganzen Sommer nicht weiter gekommen, als von Braunschweig nach Wolfenbüttel, und von Wolfenbüttel nach Braunschweig. Und auch diese Veränderungen werde ich mir schlechterdings aufs künftige versagen müssen. Doch das soll mein geringster Kummer sein, und ich will mich gern noch weit mehr aller Gesellschaft entziehen, um hier in der Einsamkeit zu kahlmäusern und zu büffeln, wenn ich nur sonst von einer andern Seite meine Ruhe wieder damit gewinnen kann.

Kein Mensch unterzieht sich gern Arbeiten, von welchen er ganz und gar keinen Vorteil hat, weder Geld, noch Ehre, noch Vergnügen.

Lesesaal der Herzoglichen Bibliothek in Wolfenbüttel

Zeichnung von unbekannter Hand

Auf wen alle zuschlagen, der hat vor mir Friede. [...] Mit meinen Briefen kann er machen, was er will. Denn ich bin mir nicht bewußt, an jemanden jemals eine Zeile geschrieben zu haben, welche nicht die ganze Welt lesen könnte.

Ist es die Eiche, oder ist es der Boden, worin die Eiche stehet, welcher das Moos und die Schwämme um und an der Eiche hervorbringt? – Ist es der Boden: was kann die Eiche dafür, wenn endlich des Mooses und der Schwämme so viel wird, daß sie alle Nahrung an sich ziehen, und der Gipfel der Eiche darüber verdorret? – Doch er verdorre immerhin! Die Eiche, solange sie lebt, lebt nicht durch ihren Gipfel, sondern durch ihre Wurzeln.

Und sehen Sie: es ist doch eben auch nicht hübsch, wenn Leute, die außer dem Lande den meisten Ruf haben, in dem Lande das schlechteste Brot essen.

Ich bin ärgerlich und arbeite, weil Arbeiten doch das einzige Mittel ist, um einmal aufzuhören, jenes zu sein.

Aber so ist es nun einmal in der Welt! Das zahme Pferd wird im Stalle gefüttert, und muß dienen: das wilde in seiner Wüste ist frei, verkömmt aber vor Hunger und Elend.

Ich hasse alle die Leute, welche Sekten stiften wollen, von Grund meines Herzens. Denn nicht der Irrtum, sondern der sektierische Irrtum, ja sogar die sektierische Wahrheit machen das Unglück der Menschen; oder würden es machen, wenn die Wahrheit eine Sekte stiften wollte.

Denn es ist unstreitig besser, eine unphilosophische Sache sehr philosophisch verteidigen, als unphilosophisch verwerfen und reformieren wollen.

Was muß der Mann von mir denken, der mich mit so vieler Freundschaft in Wien aufgenommen hat, und dem ich nun schon in den vierten Monat auch mit keiner Silbe danke? Aber er weiß ja wohl, daß man mit guten Leuten immer die wenigsten Umstände macht, und sich mit ihnen das meiste erlaubt.

Denn was geschehen soll, muß bald geschehen oder niemals; was hilft es, wenn der Pfeil erst dann abprellt, wenn das Ziel verrückt ist? –

Aber ich fange an, Dir von meiner Rückkunft zu sagen, ehe ich Dir noch von meinem Aufenthalte daselbst gesprochen. Das geschieht, weil von gewissen Dingen sich gar nicht sprechen läßt. Sprechen zwar wohl, aber nicht schreiben. Man schreibt immer zu wenig oder zu viel, wenn man bei sich selbst noch kein Resultat gezogen. Im Sprechen aber kann man sich alle Augenblicke korrigieren, welches im Schreiben nicht angeht.

Sie sind sehr gütig, meine beste Freundin, daß Sie mich auch für den Mann halten, den die Großen zu besitzen wünschten. – Ich bin nichts weniger, als dieses; und ein Großer und ich merken es sehr bald, daß keiner für den andern gemacht ist. Oft geschieht aber aus Eitelkeit, was aus persönlicher Achtung nicht geschehn würde. Es verdrießt mich, Ihnen mehr davon zu sagen, und ich möchte meinen Freunden gern überhaupt nicht meinen Verdruß, am wenigsten aber da mitteilen, wo sie sich einbilden, daß ich so viel Ursache haben müßte, vergnügt zu sein.

Denn nur einem Kinde, dem man ein getanes Versprechen nicht gern halten möchte, drehet man das Wort im Munde um, um es glauben zu machen, daß es uns nunmehr ja selbst freiwillig von diesem Versprechen lossage. Das Kind fühlt das Unrecht wohl; allein weil es ein Kind ist, weiß es das Unrecht nicht auseinander zu setzen.

Jeder sage, was ihm Wahrheit *dünkt*, und die *Wahrheit selbst* sei Gott empfohlen!

Es kann wohl sein, daß mein »Nathan« im Ganzen wenig Wirkung tun würde, wenn er auf das Theater käme, welches wohl nie geschehen wird. Genug, wenn er sich mit Interesse nur lieset, und unter tausend Lesern nur *einer* daraus an der Evidenz und Allgemeinheit seiner Religion zweifeln lernt.

Lessing als Kind
Gemälde eines unbekannten Malers, um 1734

Ich bin versichert, wir würden beide sehr gesunde Leute sein, wenn wir eben so viel Schritte machten, als Buchstaben. Einander alle halbe Jahre einmal zu Fuße zu besuchen, das wäre mein Vorschlag.

Gesunde Farbe der Schwangern bedeutet ein Mädchen, keinen Jungen. Und so ist es auch ganz natürlich. Denn das Mädchen greift die Mutter weniger an; nimmt sie weniger mit. Darnach gehen Sie hübsch heute übers Jahr: so werden Sie's besser treffen.

Alle meine Krankheiten, Beschäftigungen und Nachlässigkeiten würden mich schwerlich entschuldigen; wenn ichs aufs Entschuldigen angelegt hätte. Aber was Entschuldigen? Ich will mich nicht entschuldigen; ich will mich bessern.

Die Versatilität des Geistes verliert sich, glaube ich, von seinen Eigenschaften am ersten. Es kostet so viel Arbeit, mich umwälzen zu lassen, daß es kaum mehr der Mühe verlohnt, wenn ich nicht eine geraume Zeit in der neuen Lage wieder verweilen kann.

Ich werde oft genug in Gedanken bei Ihnen sein. Und wie kann man denn sonst bei einander sein, als in Gedanken?

So sehr ich nach Hause geeilt: so ungern bin ich angekommen. Denn das Erste, was ich fand, war Ich selbst.

Und mit diesem Unwillen gegen mich selbst soll ich anfangen, gesund zu sein und zu arbeiten?

»Freilich!« höre ich meine Freunde mir nachrufen. »Denn ein Mann, wie Sie, kann alles, was er will.«

Aber, lieben Freunde, wenn das nur etwas anders hieße, als: *kann alles, was er kann*. Und ob ich dieses Können jemals wieder fühlen werde: das, das ist die Frage!

Ich glaube nicht, daß Sie mich als einen Menschen kennen, der nach Lobe heißhungrig ist. Aber die Kälte, mit der die Welt gewissen Leuten zu bezeugen pflegt, daß sie ihr auch gar nichts recht machen, ist, wenn nicht tötend, doch erstarrend. Daß *Ihnen nicht alles* gefallen, was ich seit einiger Zeit geschrieben, das wundert mich gar nicht. Ihnen hätte gar nichts gefallen müssen; denn für Sie war nichts geschrieben. Höchstens hat Sie die Zurückerinnerung an unsere bessern Tage noch etwa bei der und jener Stelle täuschen können. Auch ich war damals ein gesundes schlankes Bäumchen; und bin itzt ein so fauler knorrichter Stamm! Ach, lieber Freund! diese Szene ist aus! Gern möchte ich Sie freilich noch einmal sprechen!

Textnachweise

Die Texte der vorliegenden Bandes werden nach folgenden Ausgaben zitiert:

W Gotthold Ephraim Lessing: Werke. 8 Bde. In Zusammenarbeit mit Karl Eibl, Helmut Göbel, Karl S. Guthke, Albert von Schirnding und Jörg Schönert hrsg. von Herbert G. Göpfert. München: Hanser, 1970.

R Gotthold Ephraim Lessing: Gesammelte Werke in zehn Bänden. Hrsg. von Paul Rilla. Bd. 9: Briefe. Berlin/Weimar: Aufbau-Verlag, ²1968.

G Gotthold Ephraim Lessing: Sämtliche Gedichte. Hrsg. von Gunter E. Grimm. Stuttgart: Reclam, 1987.

I
Gedichte und Epigramme
(Der Gedichteschreiber)

17 **1** W I, 69 f. **2** W I, 71
18 **1** W I, 73 **2** W I, 79
19 **1** W I, 82 **2** W I, 84
20 **1** W I, 127
21 **1** W I, 135 f.
22 **1** W I, 9 **2** W I, 11
24 **1** W I, 14 **2** W I, 32 **3** W I, 39 **4** W I, 41
25 **1** G 80 f. **2** G 197 f.

II
Fabeln
(Der Lehrdichter)

28 **1** W I, 197 f.
29 **1** W I, 200 **2** W I, 200
30 **1** W I, 234 **2** W I, 235

31 1 W I, 239 2 W I, 242 3 W I, 246
32 1 W I, 247
34 1 W I, 250 2 W I, 251
35 1 W I, 251 f. 2 W I, 259
36 1 W I, 261 ff.
38 1 W I, 263 2 W I, 265–268
42 1 W I, 272 2 W I, 276
43 1 W I, 276

III
Dramatische Szenen
(Der Theaterautor)

45 1 W I, 412–414
47 1 W II, 65
50 1 W I, 674–682
61 1 W II, 131–135
67 1 W II, 272–282

IV
Vermischte Gedankensplitter
(Der Gelehrte und Kritiker)

81 1 Hamburgische Dramaturgie, 36. Stück; W IV, 398 2 Briefe, die neueste Literatur betreffend, 52. Brief; W V, 185 3 Rettungen des Horaz; W III, 591
82 1 Briefe, die neueste Literatur betreffend, 7. Brief; W V, 43 2 Laokoon, II; W VI, 19 3 Briefe, die neueste Literatur betreffend, 52. Brief; W V, 186
83 1 Antiquarische Briefe, LVIII; W VI, 726 2 Anti-Goeze, VIII; W VIII, 251
84 1 Briefe, die neueste Literatur betreffend, 49. Brief; W V, 171 2 Wie die Alten den Tod gebildet; W VI, 446 f. 3 Briefe, antiquarischen Inhalts, 4. Brief; W VI, 719 4 Vermischte Schriften des Hrn. Christlob Mylius. Fünfter Brief, vom 4. Junius; W III, 541

85 1 Zuschrift an die von Christlob Mylius herausgegebene Wochenschrift »Der Naturforscher«, 8. Stück, 19. August 1747; W III, 9 2 Die Nachtigall; W V, 608 3 Der Schauspieler (Aus dem Nachlaß); W IV, 732

86 1 Über die sogenannten Fabeln aus den Zeiten der Minnesinger; W V, 650 2 Rettungen des Horaz; W III, 591

87 1 Rezension des Romans »Die doppelte Narrenkappe« (Berlinische Privilegierte Zeitung, 13. Stück, 30. Januar 1753); W III, 156 2 Briefe, antiquarischen Inhalts, 56. Brief; W VI, 395 3 Ebd., 57. Brief; W VI, 398

88 1 Hamburgische Dramaturgie, 96. Stück; W IV, 673
2 Über das Epigramm; W V, 514 3 Briefe, die neueste Literatur betreffend, 65. Brief; W V, 223 4 Rettungen des Horaz; W III, 592

89 1 Hamburgische Dramaturgie, 73. Stück; W IV, 571 f.
2 Briefe, die neueste Literatur betreffend, 81. Brief; W V, 259

91 1 Briefwechsel über das Trauerspiel, Brief an Nicolai, November 1756; W IV, 163

92 1 Ebd., Brief an Mendelssohn, 13. November 1756; W IV, 166f.

93 1 Ebd., Brief an Mendelssohn, 28. November 1756; W IV, 173

94 1 Ebd., Brief an Mendelssohn, 28. November 1756; W IV, 175 2 Ebd., Brief an Mendelssohn, 18. Dezember 1756; W IV, 186

95 1 Ebd., Brief an Mendelssohn, 18. Dezember 1756; W IV, 190f. 2 Brief an Karl Lessing, 9. Juni 1768; R 280

96 1 Hamburgische Dramaturgie, 56. Stück; W IV, 490f.
2 Ebd., 42. Stück; W IV, 427 3 Ebd., 14. Stück; W IV, 294

97 1 Gedanken über die Herrnhuter; W III, 683 2 Damon, 1. Auftritt (Lisette); W I, 707 3 Hamburgische Dramaturgie, 96. Stück; W IV, 674 4 Briefe, antiquarischen Inhalts, 57. Brief; W VI, 398 5 Nathan der Weise I,6; W II, 234

98 1 Hamburgische Dramaturgie, 87.–88. Stück; W IV, 639f. 2 Minna von Barnhelm V,9 (Minna); W I, 697

99 1 Von dem Zwecke Jesu und seiner Jünger; W VII, 494
2 Nathan der Weise V,7 (Saladin); W II, 339 3 Selbstbetrachtungen und Einfälle; W V, 789 4 Miss Sara Sampson III,7 (Sir William); W II, 61 5 Nathan der Weise II,9 (Al-Hafi); W II, 261 6 Emilia Galotti V,2 (Odoardo); W II, 193

100 1 Nathan der Weise I,2 (Nathan); W II, 218 2 Selbstbetrachtungen und Einfälle; W V, 791 f. 3 Der Freigeist V,3 (Theophan); W I, 545 4 Emilia Galotti IV,6 (Orsina); W II, 187 5 Der Schatz 5 (Lelio); W I, 578
6 Spartacus (Dramatisches Fragment); W II, 576

101 1 Weiber sind Weiber (Dramatisches Fragment); W II, 392 2 Der Freigeist IV,8 (Lisette); W I, 534 f. 3 Miss Sara Sampson IV,1 (Mellefont); W II, 64 4 Ebd. II,1 (Marwood); W II, 27 5 Über die sogenannten Fabeln aus den Zeiten der Minnesänger; W V, 563

102 1 Briefe an verschiedene Gottesgelehrten (Aus dem Nachlaß); W VII, 693 2 Philotas 2 (Strato); W II, 106

103 1 Damon 10 (Damon); W I, 371 2 Damon 5 (Damon); W I, 720 3 Miss Sara Sampson III,1 (Waitwell); W II, 53 4 Hamburgische Dramaturgie, Ankündigung; W IV, 233 5 Selbstbetrachtungen und Einfälle; W V, 788 6 Womit sich die geoffenbarte Religion am meisten weiß, macht mir sie gerade am verdächtigsten (Aus dem Nachlaß); W VII, 643 f.

104 1 Briefe, die neueste Literatur betreffend, 11. Brief; W V, 53 2 Hamburgische Dramaturgie, 7. Stück; W IV, 264

105 1 Briefe, antiquarischen Inhalts, 52. Brief; W VI, 380 f.
2 Rezension von »Chrestomathia ciceroniana« und »Chrestomathia pliniana« (Berlinische Privilegierte Zeitung, 95. Stück, 9. August 1753); W III, 178 3 Anti-Goeze II; W VIII, 194

106 1 Briefe, die neueste Literatur betreffend, 10. Brief; W V, 52 2 Ebd., 11. Brief; W V, 52 3 Berengarius Turonensis I; W VII, 79 f.

107 1 Hamburgische Dramaturgie, 101.–104. Stück; W IV, 699 2 Eine Duplik I; W VIII, 32 f.

108 1 Briefe, Dreizehnter Brief; W III, 396 f. 2 Der Frei-

geist I,1 (Adrast); W I, 478 **3** Ebd. IV,3 (Adrast); W I, 527 **4** D. Faust (Dramatisches Fragment) II; W II, 489

109 **1** Gedanken über die Herrnhuter; W III, 683 **2** Die Erziehung des Menschengeschlechts, § 4; W VIII, 490
3 Über den Beweis des Geistes und der Kraft; W VIII, 11 f. **4** Von Adam Neusern; W VII, 263

110 **1** Neue Hypothese über die Evangelisten als bloß menschliche Geschichtsschreiber betrachtet; W VII, 614 **2** Gedanken über die Herrnhuter; W III, 688
3 Von der Art und Weise der Fortpflanzung und Ausbreitung der christlichen Religion; W VII, 295 f. **4** Die Juden 3 (Der Reisende); W I, 382

111 **1** Hamburgische Dramaturgie, 3. Stück; W IV, 243
2 Brief an Karl Lessing, 2. Februar 1774; R 596 f.

112 **1** Brief an Karl Lessing, 20. März 1777; R 729

113 **1** Briefe, die neueste Literatur betreffend, 49. Brief; W V, 168 **2** Nathan der Weise IV,4 (Tempelherr); W II, 306 **3** Rezension zu »Sammlung auserlesener Abhandlungen ausländischer Gottesgelehrten zur Unterweisung des Verstandes und Besserung des Herzens« (Berlinische Privilegierte Zeitung, 38. Stück, 30. März 1751); W III, 54 f.

114 **1** Minna von Barnhelm III,7 (Tellheim); W I, 656
2 Ebd. V,9 (Tellheim); W I, 649 **3** Miss Sara Sampson IV,3 (Mellefont); W II, 67 **4** Die Juden 6 (Der Reisende); W I, 389

115 **1** Philotas 7 (Aridäus); W II, 121 **2** Emilia Galotti IV,3 (Orsina); W II, 179 **3** Miss Sara Sampson V,9 (Sir William); W II,96

V
Zwischen Nonchalance und Lakonie (Der Briefeschreiber)

116 **1** An Dorothea Salome Lessing, 30. Dezember 1743; R 7 **2** An Justina Salome Lessing, 20. Januar 1749; R 10

117 1 Ders.; R 14 2 An Johann Georg Lessing, 10. April 1749; R 18 3 An Johann Georg Lessing, 28. April 1759; R 20 4 An Johann Gottfried Lessing, 30. Mai 1749; R 22

118 1 An Johann Gottfried Lessing, 2. November 1750; R 25 2 An George August von Breitenbach, 12. Dezember 1755; R 61 3 An Moses Mendelssohn, 21. Januar 1756; R 63 4 Ders.; R 64

119 1 An Moses Mendelssohn, Oktober 1756; R 73 2 An Friedrich Nicolai, November 1756; R 79 3 An Moses Mendelssohn, 28. November 1756; R 84 f. 4 Ders., R 86 5 An Friedrich Nicolai, 29. November 1756; R 89

120 1 Ders.; R 91 2 An Moses Mendelssohn, 18. Dezember 1756; R 97 3 Ders.; R 99 4 An Karl Wilhelm Ramler, 18. Juni 1757; R 128

121 1 An Moses Mendelssohn, 18. August 1757; R 137 2 An Johann Wilhelm Ludwig Gleim, 21. September 1757; R 146 3 An Johann Wilhelm Ludwig Gleim, 21. Oktober 1757; R 147

122 1 Ders.; R 148 f. 2 An Moses Mendelssohn, Dezember 1757; R 154 3 An Moses Mendelssohn, 21. Januar 1758; R 158 4 An Johann Wilhelm Ludwig Gleim, 6. Februar 1758; R 159 5 An Johann Wilhelm Ludwig Gleim, 19. Oktober 1758; R 180

123 1 An Johann Wilhelm Ludwig Gleim, 16. Dezember 1758; R 182 2 An Johann Wilhelm Ludwig Gleim, 14. Februar 1759; R 185 3 An Johann Wilhelm Ludwig Gleim, 23. Oktober 1759; R 198 4 An Johann Gotthelf Lindner, 30. Dezember 1759; R 199 5 An Johann Wilhelm Ludwig Gleim, 21. Februar 1760; R 201

124 1 An Johann Gottfried Lessing, 3. April 1760; R 202 2 An Karl Wilhelm Ramler, 6. Dezember 1760; R 206 3 An Friedrich Nicolai, 22. Oktober 1762; R 214 f.

125 1 Ders.; R 215 f. 2 Ders.; R 217 3 An Friedrich Nicolai, 20. Juli 1763; R 223 4 An Johann Gottfried Lessing, 30. November 1763; R 225

126 1 An Johann Gottfried Lessing, 9. Februar 1764; R 228 2 An Johann Gottfried Lessing, 13. Juni 1764;

R 231 3 An Karl Wilhelm Ramler, 5. August 1764; R 235 f.

127 1 An Johann Gottfried Lessing, 10. Januar 1765; R 241
2 An Johann Gottfried Lessing, 20. März 1766; R 245
3 An Christian Adolf Klotz, 9. Juni 1766; R 248

128 1 An Johann Wilhelm Ludwig Gleim, 31. Oktober 1766; R 250 2 An Friedrich Nicolai, 4. August 1767; R 260
3 An Johann Gottfried Lessing, 21. Dezember 1767; R 265 4 An Karl Lessing, 26. April 1768; R 277

129 1 An Johann Arnold Ebert, 18. Oktober 1768; R 291
2 An Karl Lessing, 28. Oktober 1768; R 296 3 An Moses Mendelssohn, 5. November 1768; R 297

130 1 An Christoph Gottlieb von Murr, 25. November 1768; R 299 2 An Rudolph Erich Raspe, 30. Dezember 1768; R 306 3 An Friedrich Nicolai, 26. Mai 1769; R 319 f.

131 1 An Karl Lessing, 6. Juli 1769; R 322 2 An Friedrich Nicolai, 10. August 1769; R 325 3 An Friedrich Nicolai, 25. August 1769; R 326 f.

132 1 An Karl Lessing, 4. Januar 1770; R 346 2 An Johann Arnold Ebert, 13. März 1770; R 354 3 An Johann Arnold Ebert, 7. Mai 1770; R 358 4 An Friedrich Nicolai, 17. Mai 1770; R 359

133 1 An Eva König, 10. Juni 1770; R 364 2 An Eva König, 19. August 1770; R 368 3 An Eva König, 8. September 1770; R 371 4 An Eva König, 20. September 1770; R 375

135 1 An Eva König, 29. November 1770; R 391 2 Ders.; R 392

136 1 An Moses Mendelssohn; 9. Januar 1771; R 407 2 An Eva König, 13. Januar 1771; R 410 3 Ders.; R 412
4 An Eva König, 12. Februar 1771; R 413

137 1 An Eva König, 5. März 1771; R 418 2 An Eva König, 12. Mai 1771; R 425 3 An Eva König, 23. Mai 1771; R 430 4 An Karl Lessing, 26. Mai 1771; R 431

138 1 An Eva König, 16. Dezember 1771; R 467 2 Ders.; R 468 3 An Karl Lessing, 25. Januar 1772; R 488
4 An Eva König, 10. Februar 1772; R 496 5 An Karl Lessing, 10. Februar 1772; R 499 6 An Eva König, 24. Februar 1772; R 500

139 1 An Karl Lessing, 1. März 1772; R 502 2 An Johann Wilhelm Ludwig Gleim, 22. März 1772; R 509 3 An Karl Wilhelm Ramler, 21. April 1772; R 516

140 1 An Friedrich Nicolai, 22. April 1772; R 522 f. 2 An Johann Joachim Eschenburg, 25. April 1772; R 524

141 1 An Eva König, 1. Mai 1772; R 525 2 An Christian Friedrich Voss, 2. Juli 1772; R 538 3 An Christoph Martin Wieland, 2. September 1772; R 543 4 An Karl Lessing, 28. Oktober 1772; R 552 5 An Karl Lessing, 5. Dezember 1772; R 560

143 1 An Eva König, 8. Januar 1773; R 565 2 An Johann Arnold Ebert, 12. Januar 1773; R 567 3 An Johann Arnold Ebert, 14. Januar 1773; R 570 4 An Karl Lessing, 8. April 1773; R 576 5 An Karl Lessing, 30. April 1774; R 605

144 1 Ders.; R 606 2 An Moses Mendelssohn, 1. Mai 1774; R 607 3 An Tobias Philipp Freiherrn von Gebler, 20. Juni 1776; R 676 4 An Johann Albert Heinrich Reimarus, Juli 1776; R 685 5 An Karl Lessing, 20. März 1777; R 728 f.

145 1 An Ernestine Christine Reiske, 27. März 1777; R 735 2 An Franz Karl Freiherrn von Hompesch, April 1777; R 738 3 An Johann Albert Heinrich Reimarus, 6. April 1778; R 776 4 An Karl Lessing, 18. April 1779; R 830

147 1 An Joachim Heinrich Campe, 6. November 1779; R 843 2 An Johann Joachim Eschenburg, 18. Januar 1780; R 847 3 An Georg Christoph Lichtenberg, 23. Januar 1780; R 850 4 An Johann Gottfried Herder, 25. Januar 1780; R 853 5 An Friedrich Heinrich Jacobi, 11. Juli 1780; R 864

148 1 An Elise Reimarus, Anfang November 1780; R 872 2 An Moses Mendelssohn, 19. Dezember 1780; R 883

Gotthold Ephraim Lessing

IN RECLAMS UNIVERSAL-BIBLIOTHEK

Emilia Galotti. Trauerspiel. 92 S. UB 45 – dazu *Erläuterungen und Dokumente.* 159 S. UB 16031

Die Erziehung des Menschengeschlechts und andere Schriften. 95 S. UB 8968

Fabeln. Abhandlungen über die Fabel. 167 S. UB 27

Der Freigeist. Lustspiel. 117 S. UB 9981

Hamburgische Dramaturgie. 704 S. UB 7738

Die Juden. Lustspiel. 88 S. UB 7679

Der junge Gelehrte. Lustspiel. 128 S. UB 37

Kritik und Dramaturgie. Ausgewählte Prosa. 94 S. UB 7793

Laokoon oder über die Grenzen der Malerei und Poesie. 232 S. UB 271

Minna von Barnhelm oder das Soldatenglück. Lustspiel. 111 S. UB 10 – dazu *Erläuterungen und Dokumente.* 165 S. UB 16037

Miss Sara Sampson. Trauerspiel. 111 S. UB 16 – dazu *Erläuterungen und Dokumente.* 109 S. UB 8169

Nathan der Weise. Dramatisches Gedicht. 172 S. UB 3 – dazu *Erläuterungen und Dokumente.* 175 S. UB 8118

Das Theater des Herrn Diderot. 456 S. UB 8283

Interpretationen: *Lessings Dramen.* 4 Beiträge. 211 S. UB 8411

Lessing zum Vergnügen. »Je mehr ich vergesse, desto gelehrter werde ich«. (E. Grimm). 156 S. UB 18384

Philipp Reclam jun. Stuttgart